BIG

Creation and
Destruction
in 20th
Century Art

BANG

destruction
et création
dans l'art
du 20e siècle

© Éditions du Centre Pompidou, Paris 2005
ISBN : 2-84426-286-4
N° éditeur : 1276
Dépôt légal : juin 2005

Ouvrage publié à l'occasion de l'exposition
"Big Bang. Destruction et création dans l'art du XXᵉ siècle",
Centre Pompidou, Musée national d'art moderne-Centre de création industrielle,
15 juin 2005-22 février 2006

BIG BANG

destruction
et création
dans l'art
du 20e siècle

Centre
Pompidou

L'exposition a été réalisée avec le soutien
des montres Hublot.

Véritable chantier permanent, la construction emblématique de Renzo Piano et de Richard Rogers appelle de nouveaux travaux qui vont amener le Centre Pompidou à fermer à tour de rôle la totalité de ses espaces intérieurs en 2005 et 2006. De cette contrainte nécessaire, j'ai souhaité faire une chance et un tremplin. Alors que le Musée national d'art moderne va devoir se resserrer sur la moitié de ses surfaces habituelles avant de se déployer à nouveau le 31 janvier 2007, date anniversaire de ses trente ans, l'occasion lui est offerte de présenter la collection d'une manière entièrement inédite.

Pour la première fois, une vision thématique remplacera l'habituelle présentation fondée sur la chronologie et la séparation des différentes disciplines (arts plastiques, architecture, design, photographie, cinéma, nouveaux médias). Le titre de "Big Bang" illustre la démarche suivie : en lieu et place de l'ordonnancement traditionnel surgit une approche dynamique de l'art du xxe siècle jusqu'à nos jours. Bien sûr, l'intitulé reflète avant tout la substance même du propos qui a présidé au choix des œuvres et à leur distribution dans l'espace : peut-on lire l'aventure de l'art moderne et contemporain à partir de l'idée fondamentale de la destruction créatrice, de la table rase ou de la subversion du passé comme moteur de la création ? Marcel Duchamp voisinera avec Martial Raysse et Philippe Starck, Pablo Picasso avec Rem Koolhaas et László Moholy-Nagy, et tant d'autres rapprochements organisés autour de thèmes précisément définis. Le parcours connaîtra son point d'orgue avec l'œuvre de Bill Viola, *Five Angels for the Millennium*, acquise conjointement par le Centre Pompidou, le Whitney Museum of American Art et la Tate Modern.

Cette présentation inédite de la collection, conçue comme une très grande exposition, donnera lieu, pour cette raison, à un catalogue spécial. Elle sera offerte au public jusqu'au printemps 2006, lorsque le moment sera venu de fermer le cinquième étage du musée et d'ouvrir une autre présentation thématique au quatrième. Je remercie Alfred Pacquement d'avoir relevé ce défi dans des délais très courts, ainsi que Catherine Grenier, pour son rôle essentiel dans l'élaboration d'un projet qui rassemble tous les secteurs de la conservation. Sa mise en œuvre sollicite fortement toutes les équipes du Centre Pompidou, qui s'y consacrent sans ménager leurs efforts. Je remercie également les nombreux et généreux donateurs du Musée de la compréhension dont ils feront preuve pendant cette période de près de deux ans, au cours de laquelle nos capacités de présentation se trouvent fortement amputées.

Je suis persuadé que cette expérience suscitera de nombreux débats et qu'elle trouvera un écho très favorable chez tous ceux qui attendent du Centre Pompidou des clefs de lecture pour une meilleure compréhension de la création de notre temps.

Bruno Racine
Président du Centre Pompidou

Like an on-going building site, no less, the emblematic construction of Renzo Piano and Richard Rogers is calling for new works which will mean that the Pompidou Centre will have to close all its inside areas, by turns, in 2005 and 2006. It has been my wish to turn this necessary imposition into both an opportunity and a springboard. Although the Musée national d'art moderne will have to squeeze itself into half its usual space, before once more fully spreading its wings on 31 January 2007, its 30th anniversary, it is having a chance to present the collection in a thoroughly novel way.

For the first time, a thematic vision will replace the habitual presentation based on chronology and the separation of the different disciplines (visual arts, architecture, design, photography, film, new media). The title "Big Bang" illustrates the approach taken: instead of the traditional arrangement, a dynamic approach to art from the 20th century up to the present day has emerged. Needless to say, the title reflects above all the very substance of the intent governing the choice of works and their spatial distribution: is it possible to read the adventure of modern and contemporary art based on the essential idea of creative destruction, the clean slate, and the subversion of the past as a driving force of creation? Marcel Duchamp will rub shoulders with Martial Raysse and Philippe Starck, Pablo Picasso with Rem Koolhaas and László Moholy-Nagy, along with many other juxtapositions organized around clearly defined themes. The pivotal point of the visit will be Bill Viola's work, *Five Angels for the Millennium*, acquired jointly by the Pompidou Centre, the Whitney Museum of American Art, and the Tate Modern.

This novel presentation of the collection, devised as a very large exhibition, will accordingly go hand in hand with a special catalogue. This will be on offer to the public until spring 2006, when the moment comes to close the museum's fifth floor, and show another thematic presentation on the fourth.

My thanks to Alfred Pacquement for having taken up this challenge at very short notice, as well as to Catherine Grenier, for her crucial role in developing a project which encompasses all curatorial sectors. Its execution has made many demands on all the Pompidou Centre's teams, and they have toiled unstintingly to ensure its realization.

I must also thank the Museum's many and generous donors for their understanding during this almost two-year period when our presentation capacities will be sorely curtailed.

I am in no doubt that this experiment will give rise to much discussion, and be very favourably acclaimed by all those who expect the Pompidou Centre to provide reading keys for a better understanding of art in our day and age.

Bruno Racine
President of the Pompidou Centre.

Le musée réunit comme chacun sait un ensemble d'objets dont on pourrait dire, en parodiant la formule célèbre, qu'ils sont offerts au visiteur "en un certain ordre assemblé". Cet ordonnancement bien que chargé de sens ne provoque généralement que de rares commentaires, ces derniers étant plutôt réservés aux expositions et à leur caractère évènementiel. Seule l'ouverture ou la réouverture d'un musée, occasionnant un redéploiement complet des collections, suscite une analyse de l'accrochage des œuvres. Il est rare que ceci n'aille pas sans polémique : la nouvelle disposition d'œuvres bien connues, les rapprochements inédits, le constat d'en voir certaines écartées de la présentation, sont généralement l'objet d'appréciations extrêmement attentives, favorables ou critiques comme aujourd'hui à propos du nouveau MoMA de New York. On se souvient aussi des débats autour des partis pris thématiques choisis par la Tate Modern à son ouverture. Le Musée national d'art moderne n'a pas été à l'abri de telles controverses, à différentes époques de son histoire. Les échanges publics avec certains de mes prédécesseurs n'ont alors pas manqué d'alimenter les discussions autour de cette question fondamentale : l'accrochage de la collection du Musée.

L'accrochage par ce qu'il inclut (et donc exclut), et dans les relations qu'il opère d'une œuvre à l'autre, est fondamentalement donneur de sens. La chronologie est-elle respectée ou bouleversée ? Les principaux artistes de la collection voient-ils leurs œuvres disséminées tout au long du cheminement ou regroupées au contraire dans des salles monographiques ? Quelles sont les œuvres extraites des réserves pour l'occasion ? Les appartenances géographiques, les mouvements artistiques sont-ils identifiés ? Autrement dit, l'histoire de l'art est-elle respectée ou bouleversée par le déroulement du parcours ? On ne dira jamais assez combien de tels choix sont essentiels en ce qu'ils contribuent à éduquer le regard, à indiquer un sens de lecture et bien entendu à opérer des hiérarchies entre les œuvres et les artistes.

Depuis la réouverture du Centre Pompidou le 1er janvier 2000, l'accent a été mis sur un renouvellement régulier des accrochages permettant de déployer largement les riches collections du Musée. Nombreuses ont été ainsi les présentations monographiques permettant pendant quelque temps de mettre l'accent sur un artiste et de faire au passage le point sur la collection, ses forces et ses manques éventuels. De même, les principaux mouvements qui ponctuent le xxe siècle ont été présentés les uns après les autres pour autant que la collection le permette, ce qui est généralement le cas. Mais si le cubisme ou le surréalisme n'ont pas quitté les cimaises, les mouvements de l'après-guerre – art cinétique, Nouveau Réalisme, Pop Art, Arte Povera, Minimal Art, Support-Surface etc. – se sont succédés, faute de place pour les montrer en permanence. Il en est de même dans les autres disciplines dont le Musée est largement doté : photographie, architecture, design, cinéma, nouveaux médias… Enfin, l'accent a été mis sur la création la plus contemporaine, traduisant une active politique d'acquisitions dans ce domaine.

Interrompant ce principe pour un temps, "Big Bang" est une expérience. Resserrée sur un seul étage du Centre Pompidou, la collection du Musée, qui retrace avec une rare exhaustivité

l'ensemble du xxe siècle, est présentée comme jamais auparavant. Il y a certes, dans l'histoire de ce Musée, des moments où l'accrochage s'est totalement transformé, rompant parfois même avec la chronologie : à l'occasion du vingtième anniversaire du Centre, "Made in France" avait tenté une telle approche, limitée à l'après-guerre et aux œuvres créées en France. Avec "Big Bang", et l'année prochaine son pendant, "Le Mouvement des images", c'est l'ensemble de la collection, sans limites chronologiques, ni restriction de disciplines, qui est pris en charge.

Mettant en avant le fait majeur de l'art du xxe siècle qui prend radicalement ses distances avec l'académisme, "Big Bang" expose, salle après salle, comment l'art du début d'un siècle à l'autre détruit pour construire, faisant table rase des acquis précédents. Le propre de l'artiste au xxe siècle est selon le mot de Jean Dubuffet "d'inventer de nouvelles langues". À quelques mois d'une grande exposition sur Dada, moment qui en témoigne vigoureusement, la mise en question des fondations classiques apparaît comme le phénomène constant du siècle de l'art moderne. Les dernières décennies en donnent le prolongement postmoderne. De la "destruction" au "réenchantement", cette déclinaison en huit chapitres, eux-mêmes subdivisés en une quarantaine de thématiques, contribue à une approche inédite. Elle mettra en scène des œuvres bien connues ou d'autres rarement montrées dans une configuration sans précédent, et avec des rapprochements inattendus, voire provocants. En cela, le Musée accomplit sa mission, celle de "faire de l'histoire".

Cette vaste entreprise de redéploiement des collections bénéficie de quelques apports extérieurs : le prêt d'un prototype, *Rhythm Pleats* (1990) de Issey Miyake, le don de tabourets *Gnomes* (2000) de Philippe Starck par la Société Kartell : qu'ils en soient tous deux vivement remerciés. Enfin, je dois saluer la présentation exceptionnelle du fameux readymade rectifié de Marcel Duchamp, *L.H.O.O.Q* (1930), dont le long dépôt nous est accordé par le Parti communiste français, qui avait reçu l'œuvre de Louis Aragon. Je tiens à dire ici toute ma gratitude à Robert Hue et à Marie-George Buffet qui ont consenti à la présenter au public du Centre Pompidou. Cette Joconde moderne et résolument iconoclaste peut désormais, dans un premier temps, ouvrir de son sourire ambigu le siècle de "Big Bang".

Ce travail considérable, mené en un temps restreint, a mobilisé les équipes du Musée et, au premier chef, la conservation qui s'est attachée à répondre à ce véritable défi. J'en suis très reconnaissant à tous ceux qui s'y sont impliqués, en premier lieu, Catherine Grenier, conservatrice, responsable des collections contemporaines, qui s'est entourée de ses collègues — Agnès de la Beaumelle, Chantal Béret, Nicole Chapon-Coustère, Brigitte Leal et Camille Morineau, conservatrices des collections historiques et contemporaines, des collections d'architecture et de design —, ainsi que Marianne Alphant et Mark Alizart. Je remercie également tous ceux et celles qui, à différents niveaux d'intervention, ont participé à ce projet, en particulier les équipes de la Direction de la production, du Service des collections et de la Direction des éditions, qui ont été particulièrement sollicitées.

Alfred Pacquement
Directeur du Musée national d'art moderne-Centre de création industrielle

As everyone knows, the museum contains a collection of objects which, in parodying the famous dictum, we might describe as offered to the visitor "in a certain assembled order". This arrangement is, indeed, laden with meaning, but usually only attracts rare comments, these latter tending to be reserved for exhibitions and their event-like nature. Only the opening or re-opening of a museum, making use of its collections for the occasion, offers an opportunity to analyse the way the works are hung. It is unusual for any hanging not to stir up a little debate: the new arrangement of well-known works, novel comparisons and juxtapositions, fact of seeing certain gaps in the presentation, all are usually held up for held up for extremely close consideration, favourable and critical alike, as is the case today with regard to the new MoMA in New York. Memories of the discussion surrounding the thematic choices made by the Tate Modern at its opening are still fresh. The Musée national d'art moderne has not been immune to such controversies, at different moments in its history. Public exchanges with some of my predecessors never failed to fuel discussions about this fundamental issue: the hanging of the Museum's collection. By what it includes (and thus excludes), and in the connections it creates between one work and another, the hanging of artworks is basically a way of giving meaning. Is chronology complied with or turned upside down? Do the main artists in the collection see their works scattered all along the circuit through the Museum or, conversely, grouped together in monographic rooms? Which works are taken out of the reserves for the occasion? Is identification made of geographical schools and art movements? Otherwise put, is art history respected or capsized by the way the visit unfolds? It will never be possible to overstate how essential such choices are, in the way they help to inform the way we look at art, and point to a meaningful reading of it, and, needless to say, create hierarchies between works and artists.

Since the re-opening of the Pompidou Centre on 1 January 2000, emphasis has been laid on a regular renewal of hangings and presentations, making it possible to make broad use of the Museum's rich collections. There have accordingly been many monographic presentations, helping, for a certain time, to highlight an artist and, in passing, say something about the collection, together with its possible strengths and shortcomings. The major movements punctuating the 20th century have likewise been presented one after the other, wherever the collection so permits, which is usually the case. Cubism and Surrealism have always graced the picture rails but the various postwar movements–Kinetic Art, New Realism, Pop Art, Arte Povera, Minimal Art, Support-surface, etc.–have followed on one from the other for lack of room to show them permanently. The same goes for other disciplines, with which the Museum is generously endowed: photography, architecture, design, film, new media... And last of all, there has been an emphasis on the most contemporary artwork, hereby conveying an active acquisitions policy in this field.

By interrupting this guideline for a certain time, "Big Bang" is an experiment. Squeezed into a single floor of the Pompidou Centre, the Museum's collection, which, in an unusually exhaustive way, retraces the entire time-frame of the 20th century, is put on view as never before. In the history of this Museum, there have of course been moments when hanging practices have been radically altered, at times even breaking with chronology. For the Centre's 20th anniversary, "Made in France" attempted such an approach, although it was restricted to the postwar years and works produced in France. With "Big Bang", and next year its counterpart, "Le Mouvement des images/The Motion of Images", it is this time around the entire collection that is made use of, with no chronological limits, and no restriction where disciplines are concerned.

By highlighting the major feat of 20th century art, which stands radically aloof from academicism, "Big Bang" illustrates, room after room, how art from the beginning of one century to another adopts destruction in order to construct, wiping the slate clean of earlier established practices. The feature peculiar to 20th century artists is, to borrow Jean Dubuffet's words, "the invention of new languages". A few months away from a major exhibition on Dada, a moment offering a keen demonstration of the movement, the challenge to classical foundations seems like the constant phenomenon of the century of modern art. The last few decades have provided the postmodern extension. From "Destruction" to "Re-enchantment", this organization in eight chapters, themselves divided into some 40 themes, contributes to a novel approach. It will present well-known works along with other rarely shown pieces in an unprecedented configuration, and with unexpected, not to say provocative, comparisons and juxtapositions. In so doing, the Museum is accomplishing its task, which is "to make history". This huge endeavour to re-present the collections has been much helped by one or two outside elements: the loan of a prototype, Issey Miyake's *Rhythm Pleats* (1990), the gift of Philippe Starck's *Gnome stools* (2000) by the Kartell company–and they deserve our warmest thanks. Lastly, I must congratulate the outstanding presentation of Marcel Ducmap's famous rectified readyamde, *L.H.O.O.Q.* (1930), whose long-term loan with us has been granted by the French Communist Party, which was offered the work by Louis Aragon. I must express all my gratitude here to Robert Hue and Marie-George Buffet, who have both agreed to show it to the public visiting the Pompidou Centre.

This modern and dedidedly iconoclastic Mona Lisa can now usher in the "Big Bang" century with her ambiguous smile.

This considerable work, undertaken within a restricted period, has galvanized the Museum's teams and, first and foremost, the curatorial task which has striven to respond to this challenge, no less. I am most grateful to all those who have been involved in this project, and firstly to Catherine Grenier, the curator in charge of the contemporary collections, who organized a team in which she played an active part–Agnès de la Beaumelle, Chantal Béret, Nicole Chapon-Coustère, Brigitte Leal, and Camille Morineau, curators in charge of the historic and contemporary collections and architecture and design collections, not forgetting Marianne Alphant and Mark Alizart. I should also like to thank all those who have participated in this project at different levels, in particular the staff of the Production Department, the Collections Department and the Publications Department, who have all been particularly helpful.

Alfred Pacquement
Director of the Musée national d'art moderne-Centre de création industrielle

Simulation de la salle "Le corps désenchanté" avec de gauche à droite :
Thomas Schütte, Sans titre (1986) ; **Yves Klein**, Anthropométrie de l'époque bleue (1960) ; **Marlene Dumas**, Mixed Blood (1996) ; **Andy Warhol**, Ten Lizes (1963) ;
Alberto Giacometti, Femme debout II (1959-1960) ; **Henri Matisse**, Nu de dos, premier, deuxième, troisième, quatrième état (1909-1950).

LE BIG BANG MODERNE
Catherine Grenier

La modernité a constitué dans l'art un bouleversement tel, que l'on a bien du mal aujourd'hui, un siècle après les débuts du séisme, à se dégager du chaos et à concevoir un hypothétique "après". En se retournant sur ces années écoulées, années chargées d'histoire et théâtre de mutations radicales, on ne peut que s'étonner de constater que l'art n'est pas mort. Tout au contraire, les idées modernes de destruction ont été porteuses d'une capacité de réinvention quasi-permanente que peu d'époques auront connue. La table rase, le chaos, la révolution que les artistes ont appelés de leurs vœux, ont constitué et constituent encore le ferment d'un art qui, en exaltant la vie, assujettit l'esthétique à l'impératif existentiel.

Considérons l'art du XXe siècle, dans son extraordinaire diversité, en nous libérant du mode de lecture traditionnel qui organise cette diversité dans une pléiade de mouvements et de styles, pour nous attacher plutôt à l'acte créateur de l'artiste moderne, sa spécificité, son sens. Nous serons alors amenés à abandonner la perspective historique pour rechercher et circonscrire le caractère propre de l'art moderne, si toutefois il y en a un. De fait, lorsqu'on étudie les œuvres, qu'on lit les écrits et témoignages des artistes, on s'aperçoit que s'il y a un dénominateur commun à l'œuvre des artistes du XXe siècle comme de nos contemporains, c'est une impulsion plutôt qu'un caractère. Cette impulsion fondamentale, celle qui sert aux artistes à se définir par rapport à leurs prédécesseurs, celle qui autorise et guide l'émergence d'une forme nouvelle, celle qui détermine l'identité de l'œuvre, est une impulsion paradoxale qui lie étroitement deux termes : *destruction* et *création*.

THE MODERN BIG BANG
Catherine Grenier

Modernity caused such an upheaval in art that even today, a century after the beginning of this seismic event, we are still having trouble clearing away enough of the chaos to come up with a hypothetical "post-" scenario. In going back over those passing years, years full of history and the arena of radical changes, one cannot help but be surprised to discover that art is not dead. Quite to the contrary, those modern ideas about destruction in fact brought with them an almost constant capacity for reinvention that few eras have known. A clean slate, chaos, and the revolution that artists summoned up by their own volition, represented and still do represent the ferment of an art which, in exalting life, subjects aesthetics to the existential imperative.

Let us consider 20th century art, in all its extraordinary diversity, by freeing ourselves from the traditional method of reading it, which organizes this diversity in a whole host of movements and styles; and let us focus rather on the creative act of the modern artist, along with its specific nature, and its meaning. We shall thus be prompted to abandon historical perspective, in order to seek out and define the scope of the particular character of modern art, if there is one. When we examine the works, and read the writings and testimony of artists, we actually realize that if there is a common denominator for the work of 20th century artists and of our contemporaries alike, it is an impulse rather than a character. This basic impulse, the one used by artists to define themselves in relation to their predecessors, the one which authorizes and guides the emergence of a new form, and the one which determines the identity of the work, is a paradoxical impulse which closely associates two words: *destruction* and *creation*.

Parler de destruction pour qualifier l'art moderne n'est pas nouveau. Toute l'histoire de l'art moderne se fonde sur l'idée de "rupture", et le public a régulièrement manifesté son étonnement, souvent son rejet, d'un art en perpétuel chaos, sans identité stable ni durée, destructeur de toutes les valeurs et, en premier lieu, des valeurs premières de l'esthétique : la beauté, l'harmonie, la pérennité. Utiliser le terme de création, en parlant d'art, même dans les formes malmenées qui sont celles de la modernité, paraîtra aussi un lieu commun. Pourtant, une relecture attentive et critique de l'art de notre culture moderne nous impose de rappeler des évidences parfois oubliées : l'importance qu'a prise l'idée de création dans notre société, la puissance de la force positive associée à l'idée de destruction et, enfin, le lien indissociable de la destruction et de la création.

Création et créativité

L'idée de création s'est imposée à la société moderne comme une valeur essentielle, sans doute comme le caractère le plus opérationnel pour distinguer l'intelligence humaine. Ce terme, qui s'étend à toutes les sphères de l'activité, est aujourd'hui assimilé à l'une des caractéristiques principales de l'individu. Cependant, la créativité, que l'on considère communément comme l'une des bases du développement de la personnalité, est une invention moderne, indissociable de la redéfinition du geste artistique opérée par les artistes. Concevoir l'individu, sa spécificité, sa place dans la société, ses compétences professionnelles, en mettant au premier plan sa créativité, est un apport de la modernité qui trouve son corollaire dans la désaffection de la tradition. En effet, la création, expression de la créativité, s'oppose aux valeurs anciennes qui régulaient précédemment la société : la norme, les règles, la tradition, système dans lequel la question de l'innovation, de l'inventivité avait peu d'incidence. Offrant de nouveaux outils à la pensée et en prise directe avec la société, la psychanalyse et les sciences humaines ont accompagné cette transformation qui représente une profonde mutation anthropologique. Dans leur essai sur le capitalisme moderne, Ève Chiapello et Luc Boltanski ont montré la part prise récemment par la culture capitaliste à l'intégration des idéaux portés notamment par Mai 68, en premier lieu celui de créativité. Mot d'ordre des artistes et des révolutionnaires, la créativité est aujourd'hui revendiquée tout autant par les individus que par l'ensemble des structures sociales[1].

Pour rester dans la vérité d'elle-même, la créativité doit être réactivée en permanence par un principe refondateur. En l'affranchissant de la question morale, les artistes ont investi la destruction de cette fonction vitale : elle est un vecteur de renouvellement, qui opère comme une force énergétique et génératrice. "La joie de la destruction est en même temps une joie créatrice", disait Bakounine, propos insurrectionnel que ne démentiraient pas les artistes. Dans l'acte créateur, tel qu'il est conçu par les modernes, destruction et création participent d'un même mouvement. Les deux forces sont contradictoires, mais irriguées l'une par l'autre. Il n'y a pas de création sans destruction, pas non plus, contrairement à ce qu'on a pu croire en annonçant régulièrement la mort de l'art, de destruction sans création. L'artiste détruit pour créer, mais à l'inverse, on peut dire aussi qu'il crée pour détruire.

Creation and creativity

The idea of creation is imposed on modern society as an essential value, probably as the most operational factor for highlighting human intelligence. This term, which covers every sphere of activity, is nowadays likened to one of the principal characteristics of an individual. However, creativity, ordinarily regarded as one of the bases of the development of personality, is a modern invention, which cannot be dissociated from the re-definition of the artistic gesture made by artists. Conceiving of the individual, his or her specific make-up, place in society, and professional capacities, and putting his or her creativity in pride of place, is an input by modernity which finds its corollary in the loss of interest in, or abandonment of, tradition. As an expression of creativity, creation actually contrasts with the old values which previously governed society: norms, standards, rules, and tradition, all forming a system in which the issue of innovation and inventiveness had little effect. By offering new tools for thought and in direct contact with society, psychoanalysis and the human sciences have gone hand-in-hand with this transformation which represents a far-reaching anthropological change. In their essay on modern capitalism, Eve Chiapello and Luc Boltanski have demonstrated the share taken recently by the capitalist culture in the incorporation of the ideals introduced in particular by May 1968, and first and foremost the ideal of creativity. As the buzzword of artists and revolutionaries, creativity nowadays is laid claim to as much by individuals as by social structures as a whole[1].

To remain within the bounds of truth itself, creativity must be permanently reactivated by a radically reforming principle. By freeing it from the moral issue, artists have become involved in the destruction of this vital function: it is a vehicle of renewal, which works like an energizing and generating force. "The joy of destruction is at the same time a creative joy", said Bakunin, an insurrectional statement which would not be belied by artists. In the creative act, as conceived by the moderns, destruction and creation are part and parcel of one and the same movement. There is no creation without destruction, nor, contrary to what people might have thought by regularly announcing the death of art, is there destruction without creation. The artist destroys in order to create, but conversely, we can also say that he creates in order to destroy.

Destruction/création

Détruire pour créer – créer pour détruire. Qu'est-ce qui m'engage à placer ainsi sous le signe de la destruction tout l'art d'un siècle ? Et d'un siècle qui, en outre, s'est voulu positiviste, utopiste, confiant dans les forces du progrès, de la science, engagé dans la construction d'un avenir. Les œuvres elles-mêmes et les nouveaux principes qui les animent, parlent pourtant en ce sens : l'expressionnisme qui détruit la figure, la déconstruction cubiste, l'abstraction dynamitant la forme, la table rase prônée aussi bien par l'anarchisme dadaïste que par l'abstraction géométrique la plus rationaliste, l'automatisme et la dérision surréaliste, l'apothéose des rebuts et de la culture populaire du Nouveau Réalisme et du Pop Art, l'extinction de la forme dans l'art conceptuel, le détournement des mass media par les artistes contemporains, etc. L'histoire de l'art moderne est jalonnée de ces remises en cause successives, toujours plus radicales, investissant toujours de nouveaux terrains d'action.

Dans un livre récent revisitant le siècle écoulé, le philosophe Alain Badiou affirme que le propre du XXᵉ siècle aura été de "combiner le motif de la destruction à celui de la formalisation", propriété qui, selon lui, s'applique aussi bien à la science qu'à l'art[2]. Depuis le tournant moderne qu'ont constitué les avant-gardes, la destruction est à la racine même de l'acte créateur, quelle que soit l'esthétique proposée et indépendamment du positionnement de l'artiste dans ou hors des courants dominants. Le lien de la création à la destruction conditionne en effet la relation particulière et nouvelle qu'entretiennent les artistes modernes avec le passé. L'art moderne a récusé la tradition. Plus encore, il a rejeté en bloc la société bourgeoise, sa culture, sa conception esthétique. Ainsi s'est mis en place ce qu'on a pu appeler une "tradition de la rupture", une relation au passé essentiellement réactive qui enjoint à l'artiste de définir lui-même son art et ses enjeux. Cette injonction dépasse le simple projet politique et contestataire pour toucher aux fondements même de l'œuvre. On observe que tous les artistes, d'avant-garde comme d'arrière-garde – ce dernier terme entendu sans connotation péjorative –, souscrivent à ce même impératif, en opérant des choix esthétiques divergents à partir d'un postulat commun : leur position de liberté. Dans notre conception moderne, l'artiste est libre de choisir son futur, et ce faisant, libre de choisir son passé, de le renier ou de le revendiquer. L'artiste pourra choisir de faire table rase du passé ou table rase du moderne, sans que cela inquiète le statut fondamentalement artistique de son œuvre. Un même artiste, comme Pablo Picasso, pourra faire alterner, ou mener conjointement durant certaines périodes, l'avant-garde la plus provocante et un classicisme respectueux de ses sources académiques. Ainsi, on peut considérer que tous les mouvements de retour, les styles dits "néo" ou "post", comme la philosophie plus articulée de la postmodernité, sont fondamentalement tributaires de cette conception et ne constituent pas un dépassement de la modernité, mais une inflexion particulière dans la dialectique du nouveau et de l'ancien, caractéristique du moderne[3].

Destruction/Creation

Destroying in order to create—creating in order to destroy. What is it that prompts me to put all the art of an entire century under the aegis of destruction? And a century which, furthermore, has been eager to come across as positivist and utopian, trusting in the forces of progress and science, and involved in the construction of a future. The works themselves, and the new principles informing them, nevertheless talk in these terms: Expressionism destroying the figure, Cubist deconstruction, Abstraction dynamiting form, the "clean slate" advocated as much by Dadaist anarchism as by the most rationalist geometric abstraction, automatism and Surrealist derision, the apotheosis of rejects and of the popular culture of New Realism and Pop Art, the extinction of form in Conceptual Art, the hijacking of the mass media by contemporary artists, etc. The history of modern art is staked out by these successive and ever more radical challenges, invariably occupying new fields of action.

In a recent book which revisits the century that has just ended, the philosopher Alain Badiou asserts that the particular feature of the 20th century was that it "combined the motif of destruction with that of formalization", a quality which, in his view, can be applied as much to science as to art[2]. Since the modern turning point represented by the avant-garde, destruction lies at the very root of the creative act, whatever the aesthetics proposed may be and independently of the stance of the artist within or outside predominant tendencies. The link between creation and destruction actually conditions the special and new relationship which modern artists have with the past. Modern art has challenged tradition. Further still, it has, in a wholesale way, rejected the bourgeois society, along with its culture and its aesthetic conception. So what some have called a "tradition of rupture" has been introduced—an essentially reactive relationship to the past which enjoins the artist to define his art and its challenges himself. This injunction goes beyond any simple political and anti-establishment policy and touches the very bases of the work. We may observe that all artists, vanguard and rearguard alike–this latter term being understood without any pejorative connotation–, subscribe to this same imperative, by making diverging aesthetic choices based on a common postulate: their stance of freedom. In our modern conception, the artist is free to choose his future, and in so doing he is also free to choose his past, and either deny it or lay claim to it. The artist is in a position to choose to wipe clean either the slate of the past or the slate of the modern, without this upsetting the essentially artistic status of his work. One and the same artist, like Pablo Picasso, can alternate the most provocative of avant-garde work and a classicism respectful of its academic sources, or, alternatively, he may use them jointly during certain periods. So we can reckon that all movements harking back and all styles called "neo-" and "post-", as well as the most articulate philosophy of postmodernity, are all fundamentally reliant on this conception, and do not represent an overtaking of modernity, but rather a specific inflection in the dialectic of new and old, hallmark of modernity[3].

Origine

La destruction du lien de soumission de l'œuvre à toute autorité, celle des aînés comme celle des pairs, est certainement la caractéristique la plus marquante de l'art du XXᵉ siècle. Revendication majeure, l'autonomie de l'œuvre place celle-ci au centre d'un réseau de conflits dont l'artiste est l'arbitre exclusif. Toute création, pour s'affirmer comme telle, se verra sommée de détruire une norme, de détourner ou de transgresser une règle, d'affronter la tradition, pour inscrire l'œuvre dans un statut d'originalité.

Mais pourquoi parle-t-on d'"originalité" pour définir les qualités d'une œuvre moderne ? Parce que la modernité artistique a voulu placer l'œuvre en relation directe avec une origine perdue ou ensevelie. Le refus du poids de l'histoire, la destruction des formes et du vocabulaire traditionnels ne constituent pas pour l'artiste une rupture d'avec l'origine, mais manifestent sa volonté de réinstaurer celle-ci dans un statut premier. Origine entendue non pas comme un passé lointain, mais comme un territoire accessible depuis l'aujourd'hui, par des modalités d'accès diverses : art primitif, art des fous, des enfants, art populaire, objets trouvés, environnement quotidien, sexualité, violence, expériences sensibles…, et qui constitue une substance régénératrice dont l'artiste dans sa singularité, et l'art dans son autonomie vont se nourrir. Ainsi, pour le créateur moderne, le geste de destruction consiste avant tout à déblayer ce qui entrave son accès à l'origine. Il impulse un double mouvement : re-créer l'origine, créer de l'original. Suivant son tempérament, suivant le contexte aussi, l'artiste sera porté à désigner l'origine de façon différente. Au "rien, rien, rien" d'un artiste profondément sceptique comme Francis Picabia fera écho le "grand tout" de l'esprit spiritualisant de Paul Klee. De même, les forces mises en jeu peuvent être diamétralement opposées : la beauté comme la laideur, le sacré comme le sacrilège, la rationalisation comme la régression. La beauté, le sacré, la raison, ayant pour handicap leur assimilation plus ou moins complète aux systèmes académiques contestés, les artistes ont eu tendance à favoriser les modes plus violents, violence à la mesure de leur exigence existentielle. Cette violence, les artistes contemporains la font subir à cette notion d'originalité même, en prônant l'anonymat, le collectif, le réemploi ou la citation. Pourtant, l'affirmation d'une relation originaire n'est pas abandonnée pour autant, mais le lieu de ressourcement a désormais migré, en particulier vers les instances de production d'une culture populaire. Car un même sentiment anime les artistes aux personnalités si différentes qui se sont succédés au cours du siècle et jusqu'à aujourd'hui. C'est celui d'un lien intime, constitutionnel, entre l'art et la vie, qui trouve son fondement dans un concept spécifique de notre culture occidentale, la création *ex nihilo* : à partir de rien. Un concept que la culture moderne a saisi à la racine et poussé jusqu'à ses conséquences ultimes, qui englobent les formes d'art comme les processus les plus hétérogènes, et jusqu'à la faculté de dissoudre totalement la création dans la vie.

Origins

The destruction of the work's submissive link to all authority–the authority of elders and peers alike–is undoubtedly the most salient feature of 20th century art. Making a major claim, the autonomy of the work puts this one at the hub of a network of conflicts, in which the artist is the exclusive referee. In order to be asserted as such, all creation is summoned to destroy a norm, to hijack or transgress a rule, to confront tradition, in order to include the work within a status of originality.

But why do we talk about "originality" to define the qualities of a modern work? Because artistic modernity has seen fit to place the work in direct relation with a lost or buried origin. The refusal of the weight of history, along with the destruction of traditional forms and vocabulary, do not represent, for the artist, a break with origins; rather, they display his determination to reinstate this latter within a primary status. Origin is here understood not as a distant past, but as a territory accessible from today by way of various forms of access: primitive art, art produced by mad people and children, popular art, found objects, daily environment, sexuality, violence, and experience of the senses… and one which constitutes a regenerative substance which will nourish the artist in his singularity, and nurture art in its autonomy. For the modern creator, therefore, the gesture of destruction consists above all in sweeping away anything which hampers his access to origins. He sets in motion a twofold movement: re-creating the origin, and creating the original. Depending on his temperament, and depending too on the context, the artist will be prompted to designate the origin in a different way. The "nothing, nothing, nothing" of a profoundly sceptical artist like Francis Picabia is echoed by the "great big everything" of Paul Klee's spiritually inclined mind. Likewise, the forces brought into play may be diametrically opposed: beauty and ugliness, sacredness and sacrilege, rationalization and regression. The factor handicapping beauty, sacredness and reason is their more or less complete assimilation with disputed academic systems, and artists have a tendency to prefer more violent methods, a violence on a par with their existential exigence. Contemporary artists submit to this violence this very notion of originality, by advocating anonymity, the collective, re-utilization, and quotation. The assertion of an original relationship is not however abandoned; rather, the place of returning to roots has now migrated, in particular towards examples of the production of a popular culture. For one and the same feeling informs artists with very different personalities, artists who have succeeded one another over the century and right up to today. It is the feeling of an intimate and constitutional bond between art and life, which finds its basis in a specific context of our western culture, creation *ex nihilo*–starting from scratch. This is a concept which modern culture has grasped by the root and pushed to its uttermost consequences, which encompass art forms like the most heterogeneous processes, and to the point of managing to completely dissolve creation in life.

Détruire la surface

La modernité, nous dit Henri Meschonnic, est l'irruption de la subjectivité au premier plan de l'acte artistique[4]. Une subjectivité qui s'exerce dans la matière même de la création, et qui en conditionne les formes. L'art du XXe siècle ne peut pas être réduit à une succession de styles, et on ne saisit rien du caractère moderne en faisant simplement l'énumération et l'histoire des différents mouvements artistiques. L'œuvre en tant que telle est devenue sujet, et sujet qui se découvre multiple, clivé, irréductible à toute tentative de réification. Dès les débuts du siècle, pendant que l'image s'affranchit des règles de la représentation, le tableau vit des tensions internes qui peuvent s'apparenter aux mouvements psychologiques de l'âme contemporaine. Le moderne a la révélation de la "faillite de la surface" que désignait Gilles Deleuze, et l'on assiste au bouleversement des relations traditionnelles entre la surface et la profondeur, le fond et la forme, le sens et le non-sens[5]. Les implications de ce mouvement sont multiples. Sur le plan de la forme, on voit se mettre en place une pensée du tableau ou de la sculpture qui se dégage d'une appréhension totalisante et de tous les systèmes de hiérarchisation des valeurs plastiques, notamment la perspective. La rupture de l'unité de la surface, les perturbations qui agitent la matière, vont ouvrir à des expérimentations de plus en plus radicales : morcellement de la forme puis de la matérialité de l'œuvre par le cubisme, dialectique de la construction et de la déconstruction chez les constructivistes, explosion de l'unité dans la diversité avec l'invention de l'installation comme forme artistique, exploration de toutes les procédures de l'aléatoire pour la création de formes involontaires ou trouvées, etc. Sur le plan de la représentation ou du sens, l'image traditionnelle comme tous les systèmes de valeurs, symboliques ou esthétiques, sont remis en cause par des modalités de natures diverses, depuis le processus d'exténuation engagé par les tenants du modernisme et de la table rase, jusqu'à la subversion pratiquée par les avant-gardes qui renverse l'ordonnancement conventionnel des hiérarchies, en passant par les pensées de l'entropie qui traversent de nombreux courants.

Le cinéma, art moderne par excellence, propose un modèle de destruction créatrice. Art du temps et de l'image il est, par la pratique du montage et le dispositif de la projection, le fruit d'une opération de destruction de ces deux dimensions qui lui sont constitutives. Art du mouvement, il s'oppose au principe perspectif qui a dominé l'art depuis la Renaissance. Structurellement attaché à un déroulement narratif, il dérive pourtant d'un principe d'hétérogénéité, qui a incité les auteurs à développer tous les procédés de contradiction de la linéarité, depuis l'ellipse jusqu'au *flash back* ou au *cut-up* du cinéma expérimental. Ces qualités disruptives seront très vite utilisées dans les recherches radicales menées par des cinéastes ou des artistes, et sont aujourd'hui analysées et subverties par les pratiques issues de la vidéo prenant le cinéma pour référent, comme celles de Douglas Gordon ou de Pierre Huyghe. Art populaire, le cinéma crève la surface des signes pour créer l'illusion de toucher en direct le réel. Art neuf, il est naturellement dégagé du carcan de "l'asphyxiante culture" que dénonçait Jean Dubuffet. Art mécanique, enfin, il scelle

Destroying the Surface

Modernity, we are told by Henri Meschonnic, is the eruption of subjectivity in the foreground of the artistic act[4]. A subjectivity which is exercised in the same stuff as creation, and which conditions its forms. Twentieth century art cannot be reduced to a succession of styles, and we grasp nothing of the modern character by simply presenting a list and history of the various art movements. The work as such has become the subject, and a subject which turns out to be multiple, split, and incapable of being reduced to any attempt at reification. At the beginning of the century, while the image was being freed from the rules of representation, the picture underwent internal tensions which can be likened to the psychological movements of the contemporary soul. The modern has the revelation of the "bankruptcy of the surface" to which Gilles Deleuze referred and we have been witnessing the upheaval of traditional relations between surface and depth, content and style, sense and nonsense[5]. The implications of this movement are many and varied. Where style is concerned, we see the introduction of a line of thinking about pictures and sculpture which stands apart from an overall grasp, and emerges from all the systems designed to hierarchize visual values, and perspective in particular. The break in the unity of the surface, and the disturbances which jostle matter would lead the way to ever more radical experiments: fragmentation of the content and then the material nature of the work by Cubism, a dialectic of construction and deconstruction among the Constructivists, the explosion of unity into diversity with the invention of the installation as an art form, the exploration of all of the procedures of randomness for the creation of involuntary or found forms, etc. As far as representation and meaning are concerned, like all symbolic and/or aesthetic value systems, the traditional image is challenged by different methods, ranging from the process of extenuation ushered in by the advocates of modernism and the "tabula rasa", to the subversion practised by the avant-gardes, which toppled the conventional arrangement of hierarchies, by way of thoughts of entropy which run through many tendencies.

Film, which is the supreme modern art, proposes a model of creative destruction. As an art of time and image, through the practice of editing and the device of projection, it is the outcome of an operation of destruction applied to these two dimensions which are its components. As an art of movement or motion, it contrasts with the perspectival principle which has dominated art since the Renaissance. It is structurally attached to a narrative unfolding, yet derives from a principle of heterogeneity, which has encouraged *auteurs* to develop all the procedures of linear contradiction, from the ellipse to the flashback and cut-up of experimental film. These disruptive qualities would be very swiftly used in the radical research undertaken by filmmakers and artists, and they are nowadays being analyzed and subverted by practices hailing from video, taking film as a referent, such as the activities of Douglas Gordon and Pierre Huyghe. As a popular art, film shatters the surface of signs to create the illusion of actually touching the real. As a new and novel art, it has naturally stood aloof from the straightjacket of "asphyxiating culture", against which

l'obsolescence de l'œuvre unique et autographe : Walter Benjamin, dans un essai célèbre, s'appuie sur le cinéma, art conçu en fonction de la reproduction et adressé aux masses, pour dégager le phénomène irrémédiable de la "perte d'aura" de l'œuvre, perte consécutive à cette reproductivité de l'art et qu'il juge salutaire pour le monde moderne[6].

M… à celui qui regarde

L'artiste moderne revendique sa liberté et son affranchissement des valeurs et des dogmes de la tradition. Mais plus que ça, il réclame une relation directe, humaine, avec le public qu'il interpelle par le biais de la provocation et du scandale. Tous les artistes du siècle se sont sentis dépositaires de cette force d'interpellation, qui peut prendre des formes contrastées, utilisant tour à tour la violence, le jeu, le pathos, le grotesque, le comique. Ainsi *du m… à celui qui regarde* de Francis Picabia au *Regardez moi cela suffit* de Ben, en passant par le *Ceci n'est pas une pipe* de René Magritte, c'est bien d'une adresse faite au spectateur qu'il s'agit, même si celle-ci par son caractère transgressif a souvent pour effet d'exaspérer un public attaché au système de valeurs traditionnel de l'art et peu enclin à être pris à parti par un art entremêlé dans la vie.

Avant même de s'exercer sur la forme, sur les modes de représentation, sur la définition de l'art, la destruction voulue par les modernes s'attaque à la convention qui régit le rapport de l'œuvre à son destinataire. C'est en ce sens que Georges Bataille désignait dans l'*Olympia* de Manet, le premier tableau moderne en faisant résonner jusqu'à nous le rire incoercible et comme démoniaque, que cette œuvre a provoqué chez ses contemporains. Les futuristes, les dadaïstes, mais aussi les expressionnistes, les diverses formes de l'abstraction comme le surréalisme, tous les mouvements de l'après-guerre comme les diverses expressions des jeunes artistes actuels, ont en commun cette volonté de solliciter la réactivité du public. La transformation des médiums de l'art vise principalement à développer et optimiser ce principe d'exacerbation du vecteur action-réaction, qu'il s'agisse du readymade duchampien, de la performance, de l'installation, de la vidéo ou l'investissement direct des formes et des territoires du quotidien. La réinvention de l'art est avant tout la réinvention du spectateur. Ce que les artistes du début du siècle, sans méconnaître les limites de l'art à opérer un tel bouleversement, nommaient tout simplement : instaurer un nouvel état d'esprit.

Cet engagement de l'art du côté du vécu, le vécu de l'artiste se confrontant au vécu du spectateur, a de nombreuses et profondes répercussions sur les formes de la création. Plus encore, les valeurs de l'expérimentation, de la créativité et de l'invention, ont débordé le champ de l'art et investi l'ensemble de la société. Du "merde" que Picabia adresse à la société de son temps, au concept de "sculpture sociale" forgé par Joseph Beuys, qui désigne en tout homme un artiste, on trouve une effloraison de pratiques qui vont intégrer toujours plus profondément l'expérience du profane au cœur de la démarche artistique. Les démarches qu'on appelle aujourd'hui

Jean Dubuffet railed. As a mechanical art, last of all, it seals the obsolescence of the one-off and handmade work. In a famous essay, Walter Benjamin drew from film, an art form conceived on the basis of reproduction and addressed to the masses, in order to single out the irremediable phenomenon of the work's "loss of aura", a loss resulting from this reproductivity of art, which he deemed salutary for the modern world[6].

M… to the onlooker

The modern artist claims his liberty and his emancipation from the values and dogmas of tradition. But more than this, he lays claim to a direct and human relationship with the public which he summons by way of provocation and scandal. All 20th century artists have felt themselves to be trustees of this power of summons, which may take on contrasting forms, using turn by turn violence, playfulness, pathos, the grotesque, and the comical. So from *M…à celui qui regarde* by Francis Picabia to Ben's *Regardez-moi cela suffit/Look at me it's enough* by way of René Magritte's *Ceci n'est pas une pipe/This is not a Pipe* , what is indeed involved is an address made to the onlooker even if, because of its transgressive nature, the effect of this address is that it often exasperates a public clinging to the traditional system of values in art and little inclined to be inveigled by an art mingling with life.

Even before setting to work on form, on methods of representation, and on the definition of art, the destruction desired by the moderns grapples with the convention which governs the relationship between the work and whoever it is aimed at. It is in this sense that Georges Bataille singled out in Manet's *Olympia* the first modern picture, by getting the irrepressible and almost devilish laughter that this work caused among his contemporaries to ring out even in our ears. The Futurists, the Dadaists, and also the Expressionists, along with the various forms of abstraction; Surrealism and all the postwar movements as well as the various expressions of present-day young artists, all share in common this desire to address the reactivity of the public. The transformation of art media is aimed primarily at developing and optimizing this principle of exacerbation of the action-reaction vector, whether what is involved is Duchamp's readymades, performances, installations, videos, or the direct use of everyday forms and territories. The reinvention of art is above all the reinvention of the onlooker. This is what artists at the very beginning of the century, without being unaware of the limits of art in executing such an upheaval, quite simply called: ushering in a new state of mind.

This involvement of art in experience and life, the life of the artist being compared with the life of the spectator, has had many far-reaching repercussions on the forms of creation. What is more, the values of experimentation, creativity and invention have spilled over from the art arena and spread over the whole of society. From Picabia's "shit" addressed to the society of his day, to the concept of "social sculpture" coined by Joseph Beuys, who saw an artist in everyone, we find an upsurge of practices which will incorporate the experience of the profane at the hub of the artistic

"interactives" ou "relationnelles" et qui sollicitent la participation du public, voire même réduisent l'objet artistique au seul exercice de cette participation, sont l'expression contemporaine de cette volonté d'assimiler l'œuvre à l'expérience qu'elle nous offre. Au travers de tout le siècle, les artistes ont eux-mêmes esquissé des prolongements sociaux à leur action, en se rapprochant notamment de l'architecture et du design pour étendre la création moderne au monde lui-même. Qu'il s'agisse des démarches utopiques ou appliquées de De Stijl, du Bauhaus, du Vuthemas, ou des investigations plus critiques des artistes contemporains comme Thomas Rehberger ou Mathieu Mercier qui évoluent à la frontière des différentes disciplines en jouant de cette indifférenciation, l'art tend ses tentacules de tous côtés, sans exclusive. Mais au-delà de ces incursions de l'art dans les disciplines qui jouxtent son territoire, il est très significatif de percevoir les modifications profondes qui, sous l'impulsion de ce "changement d'état d'esprit" caractéristique du moderne, se sont produites dans ces champs disciplinaires spécifiques. L'idée de créativité est au centre de ces mutations et s'impose dans toutes les disciplines, qu'il s'agisse de l'architecture, du design ou des arts graphiques. S'y ajoute la prise en compte d'un "utilisateur", auquel l'environnement et les objets vont proposer non seulement des formes mais, suivant le mot d'ordre moderne, des expériences de vie.

La valeur d'expérience ainsi préconisée implique dans tous les domaines de la création une évolution continuelle. Ce besoin de renouvellement conduit les architectes, les designers ou encore les stylistes à rapprocher leurs pratiques des enjeux d'un art qui préconise une relation dialectique avec le public. Au risque de choquer celui-ci, et pour certaines de ces disciplines d'être contraintes de développer une création dite "de papier" quasi-indépendante de la réalisation des projets. La dimension théorique et spéculative investit ainsi l'ensemble des pratiques artistiques, introduisant les créateurs dans une position "génésique", qui entend anticiper et diriger les transformations de l'espace social comme de l'homme.

L'intensité pure
De la genèse, de la vie, les artistes modernes ont retenu avant tout l'intensité. "Dada est notre intensité", claironne Tristan Tzara[7]. "La seule parole que je continue de prêcher est celle d'une véritable intensité !" proclamera soixante-dix ans après Martin Kippenberger[8]. On prône l'intensité des émotions, de la forme, des couleurs, du langage, de l'action, et la violence devient le vecteur de dynamisme d'un art qui exalte l'instantané. L'intensité c'est aussi une nouvelle relation au temps, adaptée à la vie en accéléré de la culture moderne et au diapason des transformations du monde. Comme le rappelle le philosophe Jean-Marie Schaeffer, le moderne se définit avant tout et peut-être uniquement comme une "forme de vie". Une modalité d'existence qui est commune à l'artiste et à son art, et que Piero Manzoni résumait ainsi : "Il n'y a qu'à être, il n'y a qu'à vivre[9]."
L'intensité, c'est aussi l'éphémère, le présent exalté pour lui-même, dans une coïncidence entre la temporalité de l'artiste et celle de l'œuvre. "À la conception de l'impérissable et de l'immortel, nous opposons, en art, celle du devenir, du périssable, du

approach, in an ever more profound way. The approaches which we nowadays call "interactive" or "relational", and which require the participation of the public, and even reduce the art object to the sole exercise of this participation, are the contemporary expression of this desire to assimilate the work to the experience which it offers us. Throughout the century, artists themselves sketched out social extensions of their action drawing close, in particular, to architecture and design in order to extend modern creation to the world itself. Whether it be the utopian or applied approaches of De Stijl, the Bauhaus, the Vuthemas, or the more critical investigations of contemporary artists like Thomas Rehberger and Mathieu Mercier, who are evolving on the borderline of different disciplines by juggling with this undifferentiatedness, art extends its tentacles in every direction, in a non-exclusive way. But over and above these forays of art into the disciplines adjoining its territory, it is very significant to note the profound modifications which, under the impetus of this "changed state of mind" characteristic of the modern, have been produced in these specific disciplinary fields. The idea of creativity lies at the centre of these mutations and is imposed in every discipline, be it architecture, design, or the graphic arts. Added to this is the consideration of a "user", to whom environment and objects will suggest not only forms but, in accordance with the modern password, life experience.

The value of experience thus advocated involves an on-going development in all areas of creation. This need for renewal leads architects, designers, and even fashion designers to compare their activities with the challenges of an art which favours a dialectical relationship with the public. At the risk of shocking this latter, and for some of these disciplines at the risk, too, of being forced to developed a so-called "paper" creation that is quasi-independent of the execution of projects. The theoretical and speculative dimension thus informs all artistic practices, introducing creative persons to a "genesic" position, whose intent is to anticipate and steer transformations of social space and human space alike.

Pure intensity
What artists have retained above all of genesis and life is their intensity. "Dada is our intensity", trumpeted Tristan Tzara[7]. "The only word that I am still preaching is that of a veritable intensity!", Martin Kippenberger would declare 70 years later[8]. Intensity of emotions, form, colours, language and action is advocated, and violence becomes the vehicle of the dynamism of an art which glorifies instantaneousness. Intensity is also a new relation to time, adapted to the speeded-up life of modern culture and the pitch and range of the world's transformations. As we are reminded by the philosopher Jean-Marie Schaeffer, the modern is defined above all and possibly uniquely as a "form of life." A mode of existence which is common to the artist and his art, and one which Piero Manzoni summed up thus: "The only thing to do is to be, the only thing to do is to live[9]." Intensity is also the ephemeral, the present exalted for its own sake, in an overlap between the artist's time-frame and that of the work. "With the conception of the imperishable and the immortal, we contrast, in art, the conception of development, of the perishable,

transitoire et de l'éphémère", proclame Filippo Tommaso Marinetti[10]. Comme l'homme, l'œuvre en tant qu'organisme autonome est, suivant le concept heideggerien, un "être pour la mort" – Robert Smithson parlera du "principe de mort" inhérent à toute œuvre[11] –, conception en rupture totale avec le caractère de pérennité précédemment imparti à l'art.

Cette temporalité moderne de l'œuvre a généré des formes extrêmes, comme la performance ou le *work in progress*, mais conditionne aussi les formes plus classiques. En effet, la revendication de l'éphémère n'est pas réductible au seul statut immatériel ou périssable de l'œuvre, mais confronte la création en son entier à l'horizon de la finitude, une finitude qui garantit à l'œuvre sa liberté. On en trouve un exemple dans la déclaration d'intention sur l'art rédigée par Claes Oldenburg, qui affirme notamment : "Je suis pour l'art que l'on peut enfiler et retirer, comme un pantalon ; un art qui se troue à la longue, comme des chaussettes ; un art que l'on mange comme une part de tarte, ou que l'on abandonne avec un parfait mépris, comme une merde[12]." L'art contemporain, comme le montre bien la terminologie choisie pour le spécifier, s'est lié de façon plus déterminante encore à cette inscription de l'œuvre dans le temps présent. Un temps à partir duquel de nombreux artistes aujourd'hui revisitent et commentent les figures instantanément historicisées de la modernité. Le monde, devenu trop petit pour les modernes, a connu des transformations telles qu'il échappe désormais à toute entreprise de rationalisation comme de représentation. Les systèmes de pensée traditionnels qui servaient à le comprendre et à l'habiter, comme les idéologies nouvelles, sont aujourd'hui en faillite. Peut-on alors penser que s'ouvre devant l'artiste une nouvelle Odyssée, une conquête des origines qui ne s'originera plus dans des territoires vierges et des temps lointains, mais dans ce moyen âge que constitue pour nous le siècle de la modernité, un siècle qu'il faut maintenant détruire pour le réinventer ?

of the transitory and of the ephemeral", proclaimed Filippo Tommaso Marinetti[10]. Like man, the work as autonomous organism is, according to Heidegger's concept, a "being for death"–Robert Smithson would talk about the "principle of death" inherent in any work[11]–, a conception that breaks totally with the character of permanence previously imparted to art. This modern time-frame of the work has generated extreme forms, such as the performance and the work in progress, but it also conditions more classical forms. In fact, the claim of ephemerality cannot be reduced just to the immaterial or perishable status of the work; rather, it confronts creation in its entirety on the horizon of finiteness, a finiteness which guarantees the work its freedom. We find an example of this in the statement of intent on art written by Claes Oldenburg, who observes in particular: "I am for an art that you can put on and take off, like a pair of trousers; an art which ends up with holes in it in the end, like a pair of socks; an art that you eat like a slice of tart, or that you abandon with perfect contempt, like a turd[12]."

As is well illustrated by the terminology chosen to describe it, contemporary art is bound up in a more decisive way to this inclusion of the work in the present. A time based on which many artists today revisit and comment on the instantly historicised figures of modernity. The world, which has become too small for the moderns, has undergone such transformations that it now eludes any endeavour at rationalization and representation alike. Traditional systems of thought, which once served to understand it and inform it, like new ideologies, are nowadays bankrupt. Can we then think that there is opening up before the artist a new Odyssey, a conquest of origins which will no longer originate in virgin territories and remote and bygone times, but in this middle age that is represented for us by the century of modernity, a century which must now be destroyed, so that it may be reinvented?

Translated in English by Simon Pleasance

1. Luc Boltanski, Ève Chiapello, *Le Nouvel esprit du capitalisme*, Paris, Gallimard, "NRF essais", 1999.
2. Alain Badiou, *Le Siècle*, Paris, Seuil, "L'ordre philosophique", 2005. Voir également l'entretien de l'auteur avec Elie During, "Alain Badiou, le 21e Siècle n'a pas commencé", *Art Press,* n° 310, mars 2005, p. 56-58.
3. Voir à ce sujet Charles Harrison, Paul Wood, "Idées du postmodernisme", dans *Art en Théorie, 1900-1990. Une anthologie par Charles Harrison et Paul Wood*, ch. VIII, Paris, Hazan, 1997, p. 1074-1079.
4. Henri Meschonnic, *Modernité, modernité*, Paris, Verdier, 1988.
5. Gilles Deleuze, *Logique du sens*, Paris, Éditions de Minuit, 1969, p. 10.
6. Walter Benjamin, "L'œuvre d'art à l'époque de sa reproductibilité technique", dans *Œuvres*, t. III, trad. de l'allemand par Maurice de Gandillac, Pierre Rusch et Rainer Rochlitz, Paris, Gallimard, " Folio essais", 2000, p. 269-317.
7. Tristan Tzara, première phrase du "Manifeste de monsieur antipyrine", lu à la 1ère manifestation Dada, à Zurich (salle Zaag), le 14 juillet 1916 ; repris dans *Sept manifestes Dada, Lampisteries*, Paris, Jean-Jacques Pauvert, 1978, p. 15.
8. Martin Kippenberger, *Kippenberger sans peine*, conversation avec Daniel Baumann et Jutta Koether, Genève, Mamco, 1997, p. 23.
9. Piero Manzoni, "Pleine dimension", texte publié le 4 janvier 1960 par la galerie Azimut de Milan ; repris dans *Identité Italienne*, cat. d'expo., Paris, Éditions du Centre Pompidou, 1981.
10. Filippo Tommaso Marinetti, *Le Futurisme* [1911], Lausanne, *L'Âge d'homme*, 1980, p. 118.
11. Robert Smithson, "Une sédimentation de l'esprit : Earth Projects" [1968] ; repris dans *Robert Smithson*, cat. d'expo., Marseille, Musée de Marseille / Paris, RMN, 1994, p. 197.
12. Claes Oldenburg, dans *Stores Days. Documents from the Store (1961) and Ray Gun Theater (1962) selected by Claes Oldenburg and Emmet Williams. Photographs by Robert R. McElroy*, New York / Villefranche-sur-Mer / Francfort-sur-le-Main, Something Else Press, 1967, p. 39-42 ; repris dans *Art en Théorie, 1900-1990. Une anthologie par Charles Harrison et Paul Wood, op. cit.*, p. 803 et dans *Les Années Pop*, cat. d'expo., Paris, Éditions du Centre Pompidou, Paris, 2001, réf. 61.24, n. p

1. Luc Boltanski, Eve Chiapello, *Le Nouvel esprit du capitalisme*, Paris, Gallimard, "NRF essais", 1999.
2. Alain Badiou, *Le Siècle*, Paris, Seuil, "L'ordre philosophique", 2005. See also the interview of the author with Elie During, "Alain Badiou, le 21e Siècle n'a pas commencé", *Art Press,* n° 310, March 2005, p. 56-58.
3. On this subject see Charles Harrison, Paul Wood, "Idées du postmodernisme", in *Art en Théorie, 1900-1990. Une anthologie par Charles Harrison et Paul Wood*, ch. VIII, Paris, Hazan, 1997, p. 1074-1079.
4. Henri Meschonnic, *Modernité, modernité*, Paris, Verdier, 1988.
5. Gilles Deleuze, *Logique du sens*, Paris, Éditions de Minuit, 1969, p. 10.
6. Walter Benjamin, "L'œuvre d'art à l'époque de sa reproductibilité technique" in *Œuvres*, vol. III, trans. from the German by Maurice de Gandillac, Pierre Rusch and Rainer Rochlitz, Paris, Gallimard, "Folio essais", 2000, p. 269-317.
7. Tristan Tzara, first phase of the "Manifeste de monsieur antipyrine", read at the 1st Dada manifestation, in Zurich (Zaag room), on 14 July 1916; reissued in *Sept manifestes Dada, Lampisteries*, Paris, Jean-Jacques Pauvert, 1978, p. 15.
8. Martin Kippenberger, *Kippenberger sans peine*, conversation with Daniel Baumann and Jutta Koether, Geneva, Mamco, 1997, p. 23.
9. Piero Manzoni, "Pleine dimension", a text published on 4 January 1960 by the Azimut gallery in Milan; reissued in *Identité Italienne*, exhib. cat., Paris, Éditions du Centre Pompidou, 1981.
10. Filippo Tommaso Marinetti, *Le Futurisme* [1911], Lausanne, L'Âge d'homme, 1980, p. 118.
11. Robert Smithson, "Une sédimentation de l'esprit: Earth Projects" [1968]; reissued in *Robert Smithson*, exhib. cat., Marseille, Musée de Marseille / Paris, RMN, 1994, p. 197.
12. Claes Oldenburg, in *Stores Days. Documents from the Store (1961) and Ray Gun Theater (1962) selected by Claes Oldenburg and Emmet Williams. Photographs by Robert R. McElroy*, New York / Villefranche-sur-Mer / Frankurt-am-Main, Something Else Press, 1967, p. 39-42; reissued in *Art en Théorie, 1900-1990. Une anthologie par Charles Harrison et Paul Wood, op. cit.*, p. 803 and in *Les Années Pop*, exhib. cat., Paris, Éditions du Centre Pompidou, Paris, 2001, ref. 61.24, n. p.

DE TABLE RASE EN RADICALITÉ : QUELQUES FIGURES DE LA DESTRUCTION ARCHITECTURALE
Chantal Béret

Reyner Banham résume dans l'introduction de *Theory and Design in the First Machine Age* les causes de la révolution architecturale du début du siècle : "Le sentiment de la responsabilité de l'architecte vis-à-vis de la société où il vit [...] ; l'approche rationaliste ou structurale de l'architecture [...] ; la tradition de l'enseignement académique [...] dont la force et l'autorité étaient dues principalement à l'École des beaux-arts de Paris."
Il s'agissait pour s'émanciper d'en finir avec les règles vitruviennes – ordre, harmonie, solidité, utilité, beauté, stabilité… –, ces vertus cardinales considérées comme immuables (qui ont défini une sorte de totem de la culture architecturale) et de se défaire des conventions et modèles transmis – l'histoire comme la nature.
En finir donc avec l'Autorité qui fonde l'architecture comme "forteresse de la métaphysique occidentale" (Derrida) stipule quelques "meurtres" symboliques, condition nécessaire d'une (re)construction symbolique qui leur enlève toute négativité, comme l'enseignait Freud au tournant du siècle.
Détruire pour construire, telle est la dualité contradictoire qui emprunte une terminologie architecturale à la fois banale et constituante, violente et radicale.
D'ébranlements en ruptures, souvent liées à des catalyseurs politique et idéologique (deux guerres et une révolution), l'histoire de ces transformations lance une série d'offensives qui s'attaquent aux symboles de l'autorité et aux images de l ordre social que l'"Archistructure" (Denis Hollier) garantit et impose, comme à la syntaxe de leur langage, ouvrant une crise majeure des systèmes de représentation.
Plutôt que de dérouler la spirale des avant-gardes successives, le parti pris de dévoiler ces brèches sur le mode thématique, loin de toute histoire académique et de tout arraisonnement doctrinal, surexpose un ensemble de marquages symboliques et de tensions expérimentales, incontournables, leur enchaînement et/ou leur récurrence, dans la discontinuité de notions anhistoriques et d'opérations conceptuelles. Destruction, déconstruction, subversion, autant ces attitudes fondatrices qui dévoient les normes, trichent avec les codes, perturbent les orthodoxies, fissurent les conformismes, déséquilibrent les consensus, méconnaissent les frontières, sont opérantes dans le champ de l'architecture, autant celui-ci résiste et se dérobe à d'autres questionnements majeurs et subjectifs, abordés ici. Ainsi le rapport de l'architecture au sexe, véritable continent noir de la discipline, reste une histoire à faire et se limite succinctement au registre métaphorique : érection ou simulations utérines, fentes, poches, grottes et autres courbes féminines. Dans cette immersion

FROM *TABLE RASE* TO RADICALITY: ONE OR TWO FIGURES OF ARCHITECTURAL DESTRUCTION
Chantal Béret

In Reyner Banham's introduction to *Theory and Design in the First Machine Age*, he sums up the causes of the architectural revolution which occurred at the beginning of the century: "The feeling of the architect's responsibility towards the society in which he lives [...]; the rationalist and structural approach to architecture [...]; the tradition of academic instruction [...], whose force and authority were principally due to the *École des beaux-arts*." In order to achieve freedom, it was necessary to have done with the Vitruvian rules–order, harmony, solidity, utility, beauty, stability–, those cardinal virtues regarded as immutable (which define a kind of totem for architectural culture), and important to be rid of conventions and models handed down–history and nature alike. Be done, therefore, with the Authority which founded architecture as a "fortress of Western metaphysics" (Derrida), stipulated one or two symbolic "murders", a necessary condition for a symbolic (re)construction which relieved them of all negativity, as Freud taught at the turn of the century. Destruction for construction, this is the contradictory duality which uses an architectural terminology that is at once commonplace and constituent, violent and radical. From tremors to ruptures, often bound up with political and ideological catalysts (two wars and one revolution), the history of these transformations launches a series of offensives which grapple with the symbols of authority and the images of social order, which "Archistructure" (Denis Hollier) guarantees and imposes, as if on the syntax of their language, ushering in a major crisis for systems of representation. Rather than undoing the spiral of successive avant-gardes, the *parti pris* to reveal these breaches in a thematic way, well removed from all academic history and doctrinal inspection, over-exposes a set of symbolic markings and experimental tensions, all inevitable, along with their sequencing and/or their recurrence, in the discontinuity of ahistorical notions and conceptual operations. Destruction, deconstruction, subversion, as much as these basic attitudes which lead norms astray, cheat with codes, upset orthodoxies, create cracks in conformities, unbalance consensuses, fail to understand boundaries and are operative in the field of architecture so this latter withstands and evades other major and subjective questions, broached here. So the relationship of architecture to sex, the veritable dark continent of the discipline, is still a history waiting to be written, and is succinctly limited to the metaphorical key: erection and uterine simulations, slits, pockets, grottoes and other feminine curves. In this multidisciplinary immersion these attitudes draw out this Janus, the figure of the architect, artist, and/or engineer, rather from the

pluridisciplinaire, ces attitudes tirent ce Janus qu'est la figure de l'architecte, artiste et/ou ingénieur, plutôt du côté de l'art que de la technique, de son fondement (arche) plutôt que de sa réalité matérielle pour exposer "ce qui dans un édifice ne se ramène pas à la bâtisse, ce par quoi une construction échappe à l'espace utilitaire, ce qu'il y aurait en elle d'esthétique" (Hollier). Détruire, donc, pour se soustraire au langage d'un monde, tel est ce mot d'ordre partagé que le Mouvement Moderne et la multiplicité de doctrines qui le composent, n'ont eu de cesse de mettre en œuvre par la dénonciation, l'épuration, l'exclusion de principes hérités (les notions de pittoresque, d'ornement, de composition, de hiérarchie, de stabilité, d'unité et même de beauté) pour atteindre un degré zéro de l'écriture architecturale. Une fois installés sur cette table rase, un état positif d'ignorance et d'indiscipline, la réinscription d'une aura esthétique, l'abstraction, la nudité idéale des solides platoniciens, ont pour fondement théorique un nouvel impératif : "Toutes les choses de ce monde sont le produit de la formule : fonction x économie. La vie tout entière est une fonction et est par là dépourvue de caractère artistique" (Karel Teige). Les lois de l'économie, de la progression mathématique, de la technique, de l'hygiène, instaurent la rationalisation et la standardisation avec comme modèle la production industrielle, l'esprit de la série, voire le taylorisme ("machine à habiter"). De cette géométrie primaire (l'élémentarisme néoplastique), le cube est la figure paradigmatique, la matière première, y compris dans sa dislocation et sa dissonance constructiviste. Les célèbres "cinq points" de Le Corbusier en décrivent les qualités spécifiques : celle du vide autant que du plein, de la surface plane de la façade comme du toit terrasse, peau réduite à une fonction de délimitation, du plan libre, qui de par son pragmatisme ne s'assujettit ni à des impératifs constructifs, ni à une ordonnance hiérarchique et sociale. La boîte, ouverte, sera désarticulée à l'excès dans les axonométries de De Stijl : les plans libres, colorés, flottants, indépendants, suspendus selon des procédés de distorsion et d'éclatement autour d'un noyau volumétrique y exacerbent la dynamique de la structure cristalline de l'espace, tout en introduisant une transparence "phénoménale". Enfin, le prisme moderniste sera blanc, éblouissant et nu ; son horizon celui d'un habitat uniforme pour un minimum d'existence. À partir de ce langage définitivement abstrait, se décline une combinatoire de formes types, qui tendent à l'universalité, à l'anonymat, puis à l'indifférence sous une ostentation de sévérité, voire de bigoterie : "L'ornement de cette objectivité est de ne pas en avoir."
Le nouveau style réaliste, concret, *sachlich*, répand le purisme de ses standards, purs produits de la production de masse, et l'étend à la ville entière, son banc d'essai, horizontale, blanche et monochrome. Alors que tout autre est le fondement de la future cité néoplastique, ce nouvel environnement, dont Théo Van Doesburg est le héraut, unit l'art et la vie tel un *gesamtkunstwerk* à l'échelle urbaine. L'art est désormais superflu. Se font face à face le Bauhaus et l'Aubette. Le culte du degré zéro généra un nouveau formalisme, voire une nouvelle tradition, une impasse à déconstruire pour en interroger la face cachée et dans un geste libératoire en désagréger l'excès de cohérence d'où se dégage une multitude de potentialités productives et contradictoires.

aspect of art than technology, rather from its foundation (arch) than from its material reality, to display "what in an edifice does not refer to the building, that whereby a construction eludes utilitarian space, and what aesthetic content there may be in it" (Hollier). Destroying, therefore, to extricate oneself from the language of a world, such is this shared password, which the Modern Movement and the host of doctrines of which it is made, have been ceaselessly implementing by way of denunciation, purification, and exclusion of inherited principles (notions of picturesqueness, ornament, composition, hierarchy, stability, unity and even beauty) to achieve a degree zero of architectural writing. Once a positive state of ignorance and indiscipline are installed on this *table rase*, the reinclusion of an aesthetic aura, abstraction, and the ideal nudity of Platonic solids have as their theoretical basis a new imperative: "All the things of this world are the product of the formula: function x economy. The whole of life is a function and is thereby stripped of artistic character" (Karel Teige). The laws of economics, mathematical progression, technology, and hygiene introduce rationalization and standardization with, as their model, industrial production, the spirit of mass production, not to say Taylorism ("live-in machine").
In this primary geometry (neo-plastic elementarism), the cube is the paradigmatic figure, the raw material, as well as in its dislocation and its constructivist dissonance. Le Corbusier's famous "five points" describe the specific qualities of this: the quality of the void as much as the solid, the flat surface of the façade and the terrace roof, skin reduced to a function of delimitation, the open plan, which through its pragmatism is subject neither to constructive dictates, nor to any hierarchic and social organization.
The open box would be dearticulated to excess in the axonometries of De Stijl: open plans, colourful, floating, independent, suspended using processes of distortion and explosion around a volumetric nucleus, exacerbate the dynamics of the crystalline structure of space, while at the same time introducing a "phenomenal" transparency. Lastly, the modernist prism would be white, dazzling and naked; its horizon that of a uniform habitat for a minimum of existence. Based on this definitively abstract language there is a combination of standard forms tending towards universality, anonymity, and then indifference beneath a display of severity, not to say bigotry: "The ornament of this objectivity is not to have any." The new realist style, concrete, *sachlich*, spreads the purism of its standards, pure products of mass production, and extends it to the whole city, its test bench, horizontal, white and monochrome. While the foundation of the future neo-plastic city is quite different, this new environment, with Theo Van Doesburg as its messenger, unites art and life like a *Gesamtkunstwerk* or total artwork, on an urban scale. Art is henceforth superfluous. The Bauhaus and the Aubette are pitted against one another. The degree zero cult would give rise to a new formalism, and even a new tradition, an impasse to be deconstructed in order to question its hidden face and, in a liberating gesture, to break up its excessive coherence, from which is released a whole host of productive and contradictory potential. To deconstruct is to shed construction/representation in order to produce and exploit their traces. Preconceived meanings, geometric abstractions, and the corpus of conventional signs are

Déconstruire, c'est perdre sa construction/sa représentation pour en produire et exploiter les traces. Aux significations préconçues, aux abstractions géométriques, au corpus de signes conventionnels se substitue la volonté d'une absence de forme qui vise la destruction de sa prééminence au profit de dispositif analytique. Cette pensée à l'œuvre démonte le langage dans ses composantes structurales et désassemble les parties de la totalité. S'en prenant aux conditions mêmes du discours, aux processus de conception, elle ouvre à une pratique conceptuelle. Ou encore elle délie les structures et libère les échelles, décompose les masses, libère le vide et déstabilise la perfection en introduisant de nouveaux paramètres – du concept au territoire –, qui annulent l'architecture comme forme. Il n'y a plus d'identités fermées ni de territoires clos. La *Computor City* comme la *No Stop City* sont les premiers exemples d'architecture conceptuelle "dans le fait de fonder le discours sur un plan initialement critique, [...] de générer une série d'images non pas représentatives mais analytiques" (Paola Navone). L'architecture, *cosa mentale*, se conçoit par diagrammes et autres "computer drawings". L'architecture ne représente plus la société, elle la contient et devient absente. La métropole se dilue dans un territoire infini. Invisible, ici, ce hors limite tout au contraire donne lieu, chez les mégastructuralistes, à une exacerbation visuelle.
En dissidents du *zoning* moderniste, ils intègrent la pensée des flux et des réseaux pour projeter des macrostructures à l'échelle d'un territoire sans frontières. Ils inventent une autre ville pour une autre vie : l'aléatoire, une suite d'évènements, des greffes mobiles et instables, des unités temporaires renouvelées selon désirs et besoins peuvent s'inscrire et modifier ce non lieu de la disjonction. La superposition des nappes horizontales de leurs métavilles aux villes existantes, hors du sol donc, substituent le réel à l'idéal abstrait de la Modernité, et ce dans une démesure qui déstabilise humanisme et anthropocentrisme.
Après l'Holocauste, la Kolyma et Hiroshima, après l'effondrement du primat de la raison et la faillite des grands récits, la contre-culture d'une société "gonflée", celle des loisirs et de la consommation des années 1960, dérive dans la subversion.
Elle s'élève contre l'ennui du monde administré, contre l'Autorité, contre la "chiourme architecturale" dénoncée par Georges Bataille, contre la normalité, contre ce rêve de pureté inhumaine devenu cauchemar, contre la moralité moderne et savante.
"Contre-architectures" et fictions spatiales cristallisent avec une "insoutenable légèreté" de nouveaux modes de vie. Structures gonflables, containers, caravanes, bulles transparentes, dômes, capsules, combinaisons spatiales, tel sera l'habitat des "nouveaux aéronautes de l'esprit", qui accèdent à l'apesanteur et au nomadisme. Obsolescent, donc, jetable, ludique, préfabriqué, évolutif, mobile, juxtaposable, constitué de branchements, d'interconnexions, de câbles, de résilles, il inaugure l'ère de la consommation architecturale. "Tout est architecture", déclarait Hollein, mesurant l'impact culturel des machines, des images, des objets. À moins que l'État mélancolique n'enterre ces aéronautes, les obligeant à la disparition sous terre, à nouveau pétrifiés, ou ne les contraigne à une rumination nostalgique, mais savante.

replaced by the desire for an absence of form which is aimed at the destruction of its preeminence in favour of analytical arrangement. This thinking about the work dismantles language into its structural components and disassembles the parts of the whole.
By grappling with the very conditions of the discourse, and the processes of design, it opens up a conceptual praxis, or, alternatively, it undoes the structures and frees up the scales, breaks the masses, liberates the void and destabilizes the perfection by introducing new parameters–from concept to territory–which do away with architecture as form. There are no more closed identities or closed territories.
Computer City and *No Stop City* are the first examples of conceptual architecture "in so much as they base their discourse on an initially critical plan, [...] giving rise to a series of images which are analytical, not representative" (Paola Navone). Architecture –that *cosa mentale*–is designed by way of diagrams and other "computer drawings". Architecture no longer represents society, it contains it and becomes absent. The metropolis is diluted in an infinite territory. Invisible, here, this off-limits gives rise, quite to the contrary, among the megastructuralists, to a visual exacerbation. As dissidents of modernist zoning, they incorporate thinking about flows and networks in order to project macrostructures on the scale of a borderless territory. They invent another city for another life: randomness, a sequence of events, moveable and unstable grafts, and temporary units renewed as desires and needs dictate, may be included and may modify this non-place of disjunction.
The overlay of the horizontal layers of their meta-cities on existing cities, above the ground therefore, substitute the real for the abstract ideal of Modernity, and they do so with an excessiveness which destabilizes humanism and anthropocentrism.
After the Holocaust, the Kolyma and Hiroshima, after the collapse of the supremacy of reason and the bankruptcy of grand narratives, the counterculture of an "inflated" society, the society of leisure and consumption of the 1960s, drifts off into subversion. It rises up against the boredom of the administered world, against Authority, against the "architectural slaves" denounced by Georges Bataille, against normality, against that dream of inhuman purity turned into nightmare, and against modern and learned morality.
"Counter-architectures" and spatial fictions crystallize new lifestyles with an "unbearable lightness". Inflatable structures, containers, caravans, transparent bubbles, domes, capsules, spatial combinations, such will be the habitats of the "new aeronauts of the mind", with their access to weightlessness and nomadism. Obsolescent, thus disposable, larksome, prefabricated, evolutive, mobile, juxtaposable, made up of branches, interconnections, cables and grids, it ushers in the age of architectural consumption. "All is architecture", declared Hollein, gauging the cultural impact of machines, images and objects. Unless the melancholic state buries these aeronauts, forcing them to vanish underground, once again petrified, or restricting them to a nostalgic, but scholarly rumination.

Translated in English by Simon Pleasance

DESIGN CONNEXION
CONFRONTATIONS ET DIVERGENCES AU XXE SIÈCLE
Nicole Chapon-Coustère

Si le design n'a pas toujours suscité un grand intérêt au XXe siècle, il est aujourd'hui omniprésent, se donne à voir partout : dans la rue, dans les musées, les habitations, les galeries. Le design se collectionne, atteint parfois des cotes inattendues dans les ventes aux enchères et provoque autant l'adhésion du connaisseur que du non-averti. Il n'est guère de semaine sans qu'un magazine ou un quotidien ne publie une interview de designer, ou encore qu'une émission télévisée ne mette en scène le design ou le questionne. Désormais introduit auprès du grand public, qu'en est-il de sa relation avec l'art dans un musée ? C'est ce que cette nouvelle expérience d'accrochage tente de mettre en exergue dans un parcours multidisciplinaire qui traverse le XXe siècle. Si la thématique de "Big Bang" correspond à "l'aventure" des arts plastiques au cours du XXe siècle, tentons de vérifier si le champ du design est marqué par la même crise, par la même envie de faire table rase sur le passé. Le processus de design étant lié à l'évolution des techniques et des matériaux, essayons d'établir des points de convergence et de divergence entre l'art et le design. De quel big bang s'agit-il pour le design ? N'est-ce pas une question de formes ? Depuis des millénaires, l'homme crée des formes "utiles" pour vivre, se nourrir, se déplacer. Le silex est le plus vieil objet du monde… L'industrie lithique mise de côté, essayons de comprendre comment s'est effectué le passage de l'artisanat, qui occupe l'histoire des formes et de la création appliquée jusqu'au XXe siècle, à la culture industrielle.

DESIGN CONNEXION
COMPARISONS AND DIVERGENCES IN THE 20TH CENTURY
Nicole Chapon-Coustère

Design did not always arouse great interest in the 20th century, but today it is ubiquitous, and can be seen here, there and everywhere: in the street, in museums, in homes, and in galleries.
Design is collected, sometimes reaching unexpectedly high prices at auction sales, and attracting as much attention from connoisseurs as from the non-initiated. Hardly a week goes by without a magazine or daily newspaper publishing another interview with a designer, and hardly a week, likewise, without some TV programme either dealing with the subject of design, and/or challenging it. Now that design has been introduced to the general public, what exactly is its relationship with art in museums? This is what this new experiment with hanging is trying to highlight in a pluridisciplinary arrangement that covers the 20th century. The theme of "Big Bang" tallies with the "adventure" of the visual arts during the 20th century, so let us try and see whether the field of design is marked by the same crisis, by the same desire to wipe the slate clean where the past is concerned. Because the design process is associated with the development of technologies and materials, let us try to establish the various points of convergence and divergence between art and design.
What big bang are we talking about where design is concerned? Is it not a question of forms? For millennia people have been creating "useful" forms for living, feeding, and moving about. The flint is the oldest object in the world... Leaving aside the stone industry, let us try to understand how the shift from craftsmanship, which fills the history of forms and applied creative activity right up until the 20th century, to the industrial culture has come about.

La révolution industrielle au milieu du XXe siècle permet la fabrication d'objets en série. À l'occasion de l'Exposition universelle de Londres, en 1851, les premières productions industrielles sont présentées et témoignent d'un vrai bouleversement formel dans le champ de la création d'objets industrialisés, réfutant les formes académiques. C'est à partir des nouveaux outils de production que le concept de design prend ses racines. Remise en question de la conception, nouvelle quête de formes, nouveaux usages, nouvelles mises en œuvre des matériaux, nouveaux enjeux économiques, tous ces principes caractérisent déjà la notion de design à la fin du XIXe siècle. De fait, il y a rupture au début du XXe siècle. Les nouveaux acquis de l'industrie et le développement économique des pays en voie d'industrialisation engendrent de nouvelles attitudes créatives.

L'émergence de la réalité industrielle entraîne l'homme à inventer de nouvelles valeurs et c'est l'artiste qui, par une remise en cause de son langage, fort de manifestes (cubisme, futurisme, constructivisme), va donner la nouvelle orientation. L'artiste, libéré de la représentation, sorti de l'académisme et de la figuration, joue alors le rôle d'humaniste chargé d'harmoniser l'univers. En héritage direct de cette radicalisation, naît en 1917 le mouvement hollandais De Stijl, réunissant autour de Gerrit Thomas Rietveld, architectes et peintres. Les nouveaux principes formels – développer un langage universel et une esthétique reposant sur la rigueur géométrique – attestent d'une pensée rationaliste. L'École du Bauhaus (1919-1933), en Allemagne, regroupe aussi artistes et architectes d'avant-garde pour y proposer un enseignement novateur. Son directeur, Walter Gropius, prône la synthèse des arts.

Une explosion d'idées et de projets se propage, fruits d'échanges et de recherches théoriques dans tous les secteurs de création. Les principes fonctionnalistes sont définis : dépouillement et géométrisation des formes, utilisation des matériaux légers et flexibles. Le Bauhaus est un des exemples de confrontation les plus riches, ayant su créer des échanges interdisciplinaires autour de projets et de réalisations communs, dans un rayonnement international.

On peut alors affirmer qu'il y a bien eu rupture avec les créations du passé, les arts plastiques n'étant pas étrangers à ce changement. La peinture abstraite ayant évacué la représentation de l'objet a, de fait, engendré un nouveau rapport au monde. S'il y a eu destruction dans la peinture, la simplification des formes a, elle, solidifié les bases du design. En France, Le Corbusier s'oppose à l'ornementation Art déco, et défend la standardisation et la géométrie, plaidant pour l'esthétique industrielle. En 1929, des créateurs se regroupent autour d'affinités esthétiques et créent l'Union des artistes modernes (UAM), nouveau "lieu" de débat autour de la pensée fonctionnaliste. L'idée n'est pas de rompre avec la tradition, mais de défendre la mise en œuvre des matériaux modernes.

Nous constatons que dans le premier quart du XXe siècle, les différents mouvements ont défini, tant pour les arts plastiques que pour la création industrielle, de nouvelles orientations formelles que l'on retrouvera tout au long du siècle. La problématique autour de la forme est récurrente même si les enjeux et les moyens

The industrial revolution that occurred in the middle of the 20th century made it possible to mass-produce objects. For the 1851 World Fair held in London, the first industrial products were presented, illustrating a veritable formal upheaval where the creation of industrialized objects was concerned. It was based on new production tools that the design concept took root. A challenge to design, a new quest for new forms, new uses, new applications of materials, new economic challenges and stakes, all these factors already hallmarked the notion of design in the late 19th century. There was actually a break at the beginning of the 20th century. The new knowledge and experience of industry and economic development of countries undergoing industrialization gave rise to new creative attitudes.

The emergence of the industrial reality prompted people to invent new values, and it was the artist who, through a questioning of his own language, rich in manifestos (Cubism, Futurism, Constructivism), would provide the new orientation. Liberated from representation, and escaping from academicism and figuration, the artist thus played the role of humanist responsible for harmonizing the world. As a direct legacy of this radicalization, the Dutch De Stijl movement came into being in 1917, gathering architects and painters around the figure of Gerrit Thomas Rietveld. The new formal principles–developing a universal language and an aesthetic based on geometric rigour–attested to a rationalist line of thought. The Bauhaus School (1919-1933), in Germany, also consisted of avant-garde artists and architects, and came up with innovative teaching methods. Its director, Walter Gropius, advocated a synthesis of the arts, an explosion of ideas and projects burst forth, resulting from exchanges of ideas and theoretical research in every branch of creative activity. The functionalist principles were clearly defined: spareness and geometrization of forms, use of light and flexible materials. The Bauhaus is one of the richest comparative examples, having managed to create interdisciplinary exchanges around shared projects and works, with an international sphere of influence. It can thus be said that there has indeed been a break with creative activities of the past, and the visual arts are no stranger to this change. Abstract painting relieved representation of any object and, in so doing, gave rise to a new relationship to the world. There has been destruction in painting, but the simplification of forms has, for its part, consolidated the bases of design. In France, Le Corbusier opposed Art Deco ornamentation, and championed standardization and geometry, pleading for an industrial aesthetics. In 1929, creative artists gathered around aesthetic affinities and created the Union of Modern Artists (UMA), a new "forum" for debate around functionalist thinking. The idea was not to break with tradition, but to defend the use of modern materials.

We may note that in the first 25 years of the 20th century, the various movements defined new formal guidelines which would recur throughout the century, both for the visual arts and for industrial creation. The problem-set around form was recurrent even if the challenges and means of expression were different. The invention of synthetic materials became widespread from the Second World War onwards, and had well-known reverberations

d'expression sont différents. L'invention des matériaux de synthèse se généralise à partir de la Seconde Guerre mondiale et entraîne des retentissements notoires sur le design.

Les années 1950 et l'École d'Ulm développent une pensée rationaliste, qui cherche des applications directes dans l'industrie. Ce sera l'apogée dans les années 1960 du design fonctionnaliste au service du marketing contribuant au développement de la société de consommation. L'influence subversive du Pop Art, ainsi que la mise en œuvre des nouveaux plastiques remettent en cause les grands systèmes esthétiques du design. Il faut attendre la contestation italienne qui refuse l'idéologie fonctionnaliste et propose dans son approche de "vivre autrement" : Gaetano Pesce et ses créations "aléatoires", autour d'Alessandro Mendini, le Studio Alchymia et son discours sur l'objet banal et le "redesign". Le groupe Memphis fondé par Ettore Sottsass produit des objets et des meubles en réaction au design traditionnel, aux références culturelles et stylistiques, jouant des formes géométriques et asymétriques, utilisant des matériaux lamifiés. On ne trouve pas dans ces nouvelles expressions créatives de réelles références aux arts plastiques, mais une idéologie forte qui crée une cassure dans le champ du design traditionnel.

Dans les années 1980, un design hybride créé par Andrea Branzi annonce un goût pour le nouvel artisanat, mêlant technologie et matériaux bruts. Les dernières décennies du XXᵉ siècle sont marquées par les nouvelles tendances néo-baroques ou axées sur la production industrielle, mais en introduisant une dimension poétique ou métaphorique à la manière de Philippe Starck.

Le statut de l'objet industriel est aujourd'hui posé à tel point que c'est l'art contemporain qui se propose désormais de mettre le design en question. Si la naissance d'une réflexion sur la création industrielle est directement liée aux échanges interdisciplinaires, au fil du siècle, le design a su tantôt se dégager de la création artistique, prendre son autonomie, tantôt se laisser influencer par les évolutions formelles purement plastiques. Devant l'éclectisme des années 1990, objets hypertechnologiques au design "soft", aérodynamisme ou bio-design, alors que la dématérialisation des objets devient incontournable, que faut-il envisager pour l'avenir ? Y aura-t-il encore de la matière à mettre en œuvre ou vivrons-nous au milieu de l'impalpable ?

on design. The 1950s and the Ulm School developed a rationalist line of thought which sought direct applications in industry. The 1960s would be the high point of functionalist design at the service of marketing contributing to the development of the consumer society. The subversive influence of Pop Art, combined with the use of new plastics, challenged the major aesthetic systems of design. People had to wait for the questioning and challenging that went on in Italy, rejecting the functionalist ideology and proposing to "live differently" in its approach: Gaetano Pesce and his "random" works, around Alessandro Mendini, the Alchymia Studio and its argument about the commonplace object and "redesign". The Memphis Group, founded by Ettore Sottsass, produced objects and furniture which reacted to traditional design, and cultural and stylistic references, playing with geometric and asymmetrical forms, and using laminated materials. In these new forms of creative expression, there were no real references to the visual arts, but a powerful ideology which created a break in the field of traditional design. In the 1980s, a hybrid design created by Andrea Branzi announced a taste for new craftsmanship, mixing technology and raw materials. The latter decades of the 20th century were marked by new neo-Baroque tendencies, some of them focused on industrial production, but introducing a poetic and metaphorical dimension in the manner of Philippe Starck.

Nowadays, the status of the industrial object has been posited to such an extent that it is contemporary art which is now proposing to question design. The birth of a line of thought about industrial creation may be directly linked with interdisciplinary exchanges through the century, but design has managed at times to free itself from artistic creation and assume its autonomy, and at others to let itself be influenced by purely visual formal developments. Faced with the eclecticism of the 1990s, hyper-technological objects using "soft" design, aerodynamics, and bio-design, what should we envisage for the future, while the dematerialization of objects become inevitable? Will there still be matter to use, or shall we be living in the midst of the intangible?

Translated in English by Simon Pleasance

A GAS EXPLOSION AT A GLAZIER'S
Marianne Alphant

Entering a brasserie, Charles Baudelaire says: "It smells of destruction." No it doesn't, someone replies, how could you say such a thing: "It smells of sauerkraut, a woman who's a bit hot." No, Baudelaire digs his heels in, annoyed: "I tell you it smells of destruction."

Provocation, premonition, a soft spot for disaster? What is more, is it possible to imagine Baudelaire, who tried to console Manet by declaring him number one "in the decay of [his] art", walking into a salon–albeit a Salon of painting–saying: "It smells of *construction*"? And who would say such a thing anyway in the *decadent* period when Marcel Schwob recounted this anecdote to Jules Renard who jotted it down in his Diary. And who would say such a thing a century later?

We are 15, 20, 30 years old, and we are reading. It is a spring day in 1967 (in a lecture hall at the Sorbonne, undergraduates are poring over the narrative construction of *La Princesse de Clèves*); outside the reader opens a book that has just been published, Claude Simon's *Histoire*, and his eye alights upon the opening gambit: "It submerges us. We organize it. It falls to pieces. We organize it again and ourselves fall to pieces." Rilke, yes, needless to say, the end of the eighth Duino elegy, *Wir ordnens wieder und zerfallen selbst*. Is this how a lasting experience of literature as catastrophe starts for the reader?

The reader is not innocent, of course, he is acquainted with the polemic surrounding the Nouveau Roman and those writers who are "breaking up the place". But what does he find in this century, provided that his *taste* has been formed by hobnobbing with the greats? "Sandhyas! Sandhyas! Sandhyas! Callingall downs. Calling all downs to dayne. Array! Surrection! Eireweeker to the wohld bludyn world. O rally, O rally, O rally! Phlenxty, O rally![1]. He carries on, here is Louis-Ferdinand Céline: "Braoum! Vraoum!… C'est le grand décombre!… Toute la rue qui s'effondre au bord de l'eau!… C'est Orléans qui s'écroule et le tonnerre au Grand Café!… Un guéridon vogue et fend l'air!… Oiseau de marbre!… virevolte, crève la fenêtre en face à mille éclats!… Tout un mobilier qui bascule, jaillit des croisées, s'éparpille en pluie de feu!…

EXPLOSION DE GAZ CHEZ UN VITRIER
Marianne Alphant

Charles Baudelaire entrant dans une brasserie : "Ça sent la destruction". Mais non, lui dit-on, quelle idée, "ça sent la choucroute, la femme qui a un peu chaud." Non, s'entête Baudelaire avec violence : "Je vous dis que ça sent la destruction."

Provocation, prémonition, goût du désastre ? Baudelaire qui tentait de consoler Manet en le déclarant premier "dans la décrépitude de [son] art", pourrait-on d'ailleurs l'imaginer à l'entrée d'un salon – fût-ce un Salon de peinture – disant "Ça sent la *construction* ?" Qui le dirait du reste à l'époque *décadente* où Marcel Schwob raconte cette anecdote à Jules Renard qui la note dans son Journal. Et qui le dirait un siècle plus tard ?

Nous avons quinze ans, vingt ans, trente ans, nous lisons. C'est un jour de printemps 1967 (dans un amphithéâtre de la Sorbonne, les étudiants de licence se penchent sur la construction du récit dans *La Princesse de Clèves*), au-dehors le lecteur ouvre un livre qui vient de paraître, *Histoire* de Claude Simon, et en découvre l'exergue : "Cela nous submerge. Nous l'organisons. Cela tombe en morceaux. Nous l'organisons de nouveau et tombons nous-mêmes en morceaux" Rilke, oui, bien sûr, la fin de la huitième Élégie de Duino, *Wir odrnens wieder und zerfallen selbst*. Est-ce ainsi que commence, pour le lecteur, une expérience durable de la littérature comme catastrophe ?

Le lecteur n'est pas innocent bien sûr, il connaît la polémique entourant le Nouveau Roman et ces écrivains qui "cassent la baraque". Mais que trouve-t-il dans ce siècle, pour peu que son *goût* se soit formé à la fréquentation des plus grands ? "Sandhyas ! Sandhyas ! Sandhyas ! Tôt le monde en basse ! Tôt le monde à aube ost. Ourrez ! Surrection. Oeireveille allo galobe d'épôle en pôle. O ralliez, O ralliez, O ralliez ! Gomphanix, O ralliez ![1]" Il poursuit, voilà Louis-Ferdinand Céline : "Braoum ! Vraoum !…

C'est le grand décombre !… Toute la rue qui s'effondre au bord
de l'eau !… C'est Orléans qui s'écroule et le tonnerre au Grand
Café !… Un guéridon vogue et fend l'air !… Oiseau de marbre !…
virevolte, crève la fenêtre en face à mille éclats !… Tout un mobilier
qui bascule, jaillit des croisées, s'éparpille en pluie de feu !…
Le fier pont, douze arches, titube, culbute au limon d'un seul coup !
la boue du fleuve tout éclabousse !… brasse, gadouille la cohue
qui hurle étouffe déborde au parapet !… Ça va très mal…²"
Encore, dit le lecteur comme un enfant, encore autre chose.
Thomas Bernhardt. Gertrude Stein. Samuel Beckett : "voix d'abord
dehors quaqua de toutes parts puis en moi quand ça cesse de
haleter raconte-moi encore finis de me raconter invocation³."
Raconte-moi, dit le lecteur à l'écrivain de ce siècle, raconte-moi
comment cela éclate, se défait, parle-moi du chaos que nous
sommes. Allez, un autre livre. " *Ma vie ?!* : ma vie n'est pas un
continuum ! […] Car le jour aussi m'accompagne cet autre qui va à
la gare, est assis derrière un bureau, bouquine, traîne dans les bois,
copule, bavarde, écrit, pense à mille petits riens. Cet éventail
qui se disloque. Qui court, fume, défèque, radiophone et téléspecte,
dit 'Monsieur le sous-préfet' : That's me ! Une succession
d'instantanés scintillants, en vrac⁴." On continue ? "['debout, la
bouch' !, j'a b'soin !'] [.., te m'veux, m'sieur l'homm' ?'
– 'j'vas t'trequer au bourrier !' – 'j't'déslip', m'sieur l'homme' ?
– 'oua.., tir'-moi l'zob du jeans a j'vas t'triquer !'⁵" Allons, proteste
l'homme de *bon sens* : vous choisissez les plus mauvais exemples,
lisez Virginia Woolf, cela se tient mieux. On ouvre donc *Entre les
actes*, son dernier roman : "Des pièces, des morceaux, des
fragments", la phrase revient comme un refrain et tout ne cesse
de se briser. "Unité, dispersion… Uni… Disp…" ; "Tout ce que
nous pouvons voir de nous-mêmes, ce sont des morceaux,
des débris, des fragments. " Chaque fois que les spectateurs
de la représentation en plein air croient saisir un sens, il s'échappe.
Des figurants sortent des buissons en brandissant des morceaux
de miroirs et des objets brillants où le public voit s'émietter
son image mouvante et déformée. La représentation finie,
les spectateurs s'attardent : "C'est de la folie, c'est une insulte.
Aussi vicieux que compliqué. Très moderne, pour sûr.
Y a-t-il une intention, là-dedans ? Démolir ?"
Maurice Blanchot découvrant Robert Musil : "Encore une œuvre
immense et inachevée et inachevable. Encore la surprise d'un
monument admirablement en ruines⁶."
On aura mal compris, peut-être, on recommence. C'est Antonin
Artaud envoyant à vingt-sept ans ses premiers poèmes à Jacques
Rivière, pour la NRF, et se justifiant de ces poèmes défectueux,
sans doute impubliables, par "l'abandon de pensée" dont il souffre,
par une sorte d'effondrement, d'inexistence centrale qui ne peuvent
que lui rendre plus précieux ces poèmes arrachés à cette "véritable
déperdition". De cette expérience, il parlera plus tard en d'autres
termes, comme d'un "heurt indescriptible d'avortements".
"Je suis celui qui connaît les recoins de la perte"
"Et je vous l'ai dit : pas d'œuvre, pas de langue, pas de parole,
pas d'esprit, rien. Rien, sinon un beau Pèse-nerfs." Cette douleur,
cette noirceur, nous les reconnaissons bien sûr, elles sont partout
présentes dans la création comme son versant d'échec et de
mélancolie : la question est peut-être de savoir comment, pourquoi,

Le fier pont, douze arches, titube, culbute au limon d'un seul coup !
la boue du fleuve tout éclabousse !… brasse, gadouille la cohue
qui hurle étouffe déborde au parapet !… Ça va très mal…²"
More, says the reader like a child, something else. Thomas Bernhardt.
Gertrude Stein. Samuel Beckett: "Voice once without quaqua on all
sides then in me when the panting stops tell me again finish telling
me invocation³."
Tell me, says the reader to the writer of this century, tell me how it
explodes, comes undone, talk to me about the chaos that we are.
Go on, another book. *"My life?!*: my life is not a continuum! [...]
For the day also goes with me, this other who is going to the
station, sitting at a desk, reading books, lingering in the woods,
copulating, gossiping, writing, thinking about a thousand sweet
nothings. This fan that comes to bits. Runs, smokes, defecates,
listens to the radio and watches TV, says 'Mister subprefect, sir':
That's me! A succession of flickering split seconds, pell-mell⁴."
Shall we go on? "['debout, la bouch' !, j'a b'soin !'] [.., te m'veux,
m'sieur l'homm' ?'– 'j'vas t'trequer au bourrier ! –'j't'déslip', m'sieur
l'homme' ? – 'oua.., tir'-moi l'zob du jeans a j'vas t'triquer !'⁵"
Come on, protests the man of *common sense*: you choose
the worst examples, read Virginia Woolf, she holds up better.
So we open *Between the Acts*, her last novel: "Pieces, bits,
fragments", the sentence recurs like a refrain and everything just
goes on breaking. "Unity, dispersal… Uni… Disp…"; "Everything that
we can see of ourselves is bits and pieces, debris, fragments."
Whenever the spectators at the outdoor performance think they
have got the meaning, it slips through their fingers. Extras emerge
from the bushes brandishing bits of mirrors and shiny objects
in which the audience sees its moving, distorted image in
smithereens. When the performance is over, the spectators linger:
"It's madness, it's an insult. As vicious as it's complicated.
Very modern, that's for sure. Is there some intention behind it?
Demolition?"
Maurice Blanchot, discovering Robert Musil, remarked: "Another
immense work, unfinished and unfinishable. Again, the surprise
of an admirably ruined monument⁶".
Perhaps we have not quite understood, so let us start again.
We have Antonin Artaud, at the age of 27, sending his early poems
to Jacques Rivière, for the NRF, and explaining those flawed and
probably unpublishable poems by "the abandonment of thought"
which he was suffering from, and by a kind of collapse and central
non-existence, which could not fail but make these poems more
precious, wrenched as they were out of that "veritable perdition".
He would talk about this experience later on, and in other terms,
as an "indescribable collision of abortions". "I am the person who is
acquainted with the crannies of loss". "And I have told you already:
no work, no language, no word, no wit, nothing. Nothing, except
a beautiful Nerve-meter." Needless to say, we recognize this pain
and this darkness, they are present everywhere in creation like its
aspect of failure and melancholy: the question has perhaps to do
with knowing how and why our experience of them became pivotal
in the 20th century, giving to reading its habit of anxiety and
expectation of disaster.
This, observed Blanchot, is how we go on repeating that the novel,
"that happiest of genres", (better not to mention the others whose

leur expérience est devenue centrale au XXᵉ siècle, donnant
à la lecture son pli d'inquiétude et d'attente du désastre.
C'est ainsi, observe Blanchot, qu'on va répétant que le roman,
"le plus heureux des genres ", (mieux vaut ne pas évoquer les autres
dont le sort serait pire) est parvenu à son terme. Chaque fois
qu'un grand écrivain écrit un grand roman, il semble "avoir cassé
quelque chose". Il n'épuise pas le genre mais il l'altère
"avec une telle autorité et une puissance si embarrassante, parfois
si embarrassée" qu'il ne paraît plus possible d'aller plus loin
dans l'exploitation de "cette forme aberrante". Joyce, Kafka, Broch,
Faulkner, Musil, Céline. Mais on dira aussi Gertrude Stein, Arno
Schmidt, Virginia Woolf. On dira Samuel Beckett, Claude Simon,
Pierre Guyotat, Dos Passos, William Gaddis. Que s'est-il donc
passé ? Labyrinthe des langues, de l'histoire et de la conscience.
Personnages opaques, anonymes, égarés. Histoire, pleine de bruit
et de fureur, et comme "racontée par un idiot." Tantôt, c'est la
langue qui est atteinte, tantôt c'est l'ordonnance, la logique
narrative, le sens. Prenons l'écrivain, pourtant. Que fait l'écrivain ?
Il bâtit sa robe, comme dit Marcel Proust à la fin de *La Recherche,*
il avance à tâtons, il comprend sur le tard ce qu'il voulait faire.
Il marche dans l'Histoire comme dans ce cauchemar dont Stephen
Dedalus dit qu'il essaie de s'éveiller. Il n'a pas d'intention (les plus
grands l'affirment). Seulement arrive-t-il parfois qu'il retrouve dans
les catastrophes de son temps un écho de sa propre démarche :
on se souvient de Fernand Léger, écrivant du front que décidément
"il n'y a pas plus cubiste qu'une guerre comme celle-là qui te divise
proprement un bonhomme en plusieurs morceaux".
Dans quel monde a grandi le lecteur du XXᵉ siècle ? Exercices
scolaires de la *composition*, construction de la dissertation et plans
en trois parties, étude des classiques, construction du sonnet,
tragédies en cinq actes, règles de l'alexandrin, césure, hémistiche.
Un peu d'impair, bien sûr, avec Verlaine, un peu de débordement
avec Rimbaud, mais on reprend , on se reprend : clarté de Paul
Valéry, rigueur du mètre, sérénité de l'ordre. Et laissez donc tomber
l'aboli bibelot d'inanité sonore. Étrange décalage entre notre vie
d'étudiants et notre vie de lecteurs. Car ce qui s'écrit et ce que
nous lisons, en ce siècle, ne ressemble en rien à ce qu'on nous
disait qu'était la littérature. Il a fallu tout réapprendre, s'orienter
dans l'informe, l'explosif, le chaotique, l'inaudible. Et ce faisant,
perdant toute certitude et jusqu'à notre langue, admettre qu'on
nous avait trompé, que la littérature était toute autre chose :
une défiguration avant d'être une figuration, un désordre plutôt
qu'un ordre. Une expérience d'égarement et de violence.
Ainsi, comprendra-t-on peut-être, en tâtonnant dans ce chaos,
de quel processus violent est issue la création provisoire des formes.
C'est encore Baudelaire qui le dit, dans une lettre à Auguste
Poulet-Malassis : "Nouvelles *Fleurs du Mal* faites. À tout casser,
comme une explosion de gaz chez un vitrier[7]."

fate is even worse) has reached its conclusion. Every time a great
writer writes a great novel, he seems "to have broken something".
He does not exhaust the genre, but he alters it "with such an
authority and such embarrassing might, sometimes so
embarrassed" that it no longer seems possible to go any further
in the exploitation of "this aberrant form". Joyce, Kafka, Broch,
Faulkner, Musil, Céline. But we might also say Gertrude Stein,
Arno Schmidt, and Virginia Woolf. We might say Samuel Beckett,
Claude Simon, Pierre Guyotat, Dos Passos, and William Gaddis.
So what has happened? A labyrinth of languages, history and
consciousness. Opaque, anonymous characters, all astray.
History full of sound and fury, and as if "recounted by an idiot".
At times it is language which is affected, at others it is the
organization, the narrative logic, and the sense. Let us take a look
at the writer, however. What does the writer do? He builds his robe,
as Marcel Proust put it at the end of *Remembrance*, he gropes
his way forward, he realizes late in the day what he wanted to do.
He marches into History as if into that nightmare from which
Stephen Dedalus said he was trying to awaken. He has no intent
(the greatest assert as much). Except that it sometimes happens
that he finds an echo of his own approach in the catastrophes of
his day and age: we may remember Fernand Léger writing from
the front that: "…there's [definitely] nothing more Cubist than a war,
like the one that really splits the fellow you are into several pieces".
What world has the 20th century reader grown up in? School
composition exercises, construction of dissertations and three-part
plans, studying the classics, constructing sonnets, five act
tragedies, the rules of alexandrines, caesuras, and hemistichs.
A little "impair", needless to say, with Verlaine, a little excess with
Rimbaud, but we take it up again, and we pull ourselves together:
the clarity of Paul Valéry, the rigour of meter, the serenity of order,
so drop *the abolished knick-knack of acoustic inaneness*.
There is a strange lapse between our student life and our reader's
life. Because what is written and what we read, in this century,
in no way resembles what people told us that literature was.
It has been necessary to re-learn everything, and steer ourselves
into the inform, the explosive, the chaotic and the inaudible.
And in so doing, shedding all certainty, even in our own language,
admitting that we were deceived, that literature was something
quite different: a disfiguration before being a figuration, a disorder
rather than an order. An experience of confusion and violence.
In this way, by groping our way through this chaos, we shall perhaps
understand from which violent process the temporary creation
of forms has issued.
It was Baudelaire once again who said, in a letter to Auguste Poulet-
Malassis: "Newly made *Fleurs du Mal/Flowers of Evil*. Breaking
everything, like a gas explosion at a glazier's[7]."

Translated in English by Simon Pleasance

1. James Joyce, *Finnegans Wake*. Fragments adaptés par André du Bouchet, Paris, Gallimard, 1962, p. 35.
2. Louis-Ferdinand Céline, *Guignol's Band* [1944], Paris, Gallimard, 1952, p. 12.
3. Samuel Beckett, *Comment c'est* [1961], Paris, Éditions de Minuit, 1961, p. 9.
4. Arno Schmidt, *Scènes de la vie d'un faune* [1962], Paris, C. Bourgois, 1991, p. 10.
5. Pierre Guyotat, *Prostitution*, Paris, Gallimard, 1975, p. 9.
6. Maurice Blanchot, *Le Livre à venir* [1959], Paris, Gallimard, "Folio essais", 1987.
7. Charles Baudelaire, *Correspondance,* 29 avril 1859.

1. James Joyce, *Finnegans Wake*, London/Boston, Faber and Faber, 1975, p. 593.
2. Louis-Ferdinand Céline, *Guignol's Band* [1944], Paris, Gallimard, 1952, p. 12.
3. Samuel Beckett, *How it is*, London, Calder and Boyars, 1964.
4. Arno Schmidt, *Scènes de la vie d'un faune* [1962], Paris, C. Bourgois, 1991, p. 10.
5. Pierre Guyotat, *Prostitution*, Paris, Gallimard, 1975, p. 9.
6. Maurice Blanchot, *Le Livre à venir* [1959], Paris, Gallimard, "Folio essais", 1987.
7. Charles Baudelaire, Correspondance, 29 avril 1859.

DESTRUCTION *vs* DESTRUCTION
Érik Bullot

Démolir un mur, fendre un piano à la hache, casser une automobile pièce par pièce, brûler un édifice, liquéfier son adversaire, annihiler un corps, sont quelques-unes des figures que le cinéma a volontiers explorées au cours de son histoire. La puissance de destruction est une menace qui malmène le jeu alterné d'apparition et de disparition propre au médium. Puissance toujours susceptible d'enrayer le cours des événements par excès de visibilité (illumination, radiation, aveuglement), ou par défaut (fragmentation, tremblement, obscurité). La destruction loge au cœur de cette intermittence comme un point-limite, voire un virus, qui inquiète les récits et les formes, peut affecter le dispositif même du cinéma (l'histoire du cinéma expérimental en témoigne), mais aussi inventer de nouvelles figures, par hybridation, en multipliant son propre chiffre par lui-même. Destruction puissance deux.

Le saccage systématique fut l'un des ressorts privilégiés du cinéma burlesque primitif américain. Dans *Big Business* de James W. Horne (1929), une vente de sapins, assez anodine au départ, se transforme très vite, pour Laurel et Hardy et leur client récalcitrant, en duel agressif. Un premier accroc entraîne, en une suite quasi géométrique, un jeu d'échanges symétriques couronné par la démolition de la maison et l'exécution d'un piano à la hache. Une pichenette produit un ouragan. Obéissant à un principe d'escalade, de nature entropique, le film tend vers un point d'indifférence. La phase destructrice programmée, qui conjugue la violence physique humaine et la puissance des éléments naturels (cyclone, inondation, incendie, séisme, etc.), conduit inexorablement à l'anéantissement de toute forme.

DESTRUCTION *vs* DESTRUCTION
Erik Bullot

Demolishing a wall, smashing a piano with an axe, breaking up a car bit by bit, burning down a building, doing away with your enemy, annihilating a body, all these are just some of the subjects that film has deliberately explored in its history. The power of destruction is a threat which misuses the alternating game of appearance and disappearance peculiar to the medium. A power invariably likely to put a stop to the course of events through an excess of visibility (illumination, radiation, bedazzlement), or by default (fragmentation, tremor, darkness). Destruction lodges at the heart of this intermittence like an extreme point, not to say a virus, which unsettles narratives and forms, and may affect the very device of film (the history of experimental film attests to as much), as well as inventing new figures, by hybridization, and by multiplying its own figure by itself. Destruction to the power of two.

Systematic plundering was one of the favourite mainsprings of primitive American burlesque film. In James W. Horne's *Big Business* (1929), a sale of fir trees, which is quite harmless at the outset, very swiftly turns into an aggressive duel for Laurel and Hardy and their recalcitrant customer. An initial hitch introduces, in an almost geometric sequence, an interplay of symmetrical exchanges culminating in the demolition of the house and the execution of a piano with an axe. A mountain is made out of a mole hill, complying with a principle of entropic escalation, and the film is steered toward a point of indifference. The programmed destructive phase, combining human physical violence and the power of natural elements (cyclone, flood, fire,

On se souvient de la tempête dans *Steamboat Bill Jr.* (1928)
de Buster Keaton, emportant façades et lotissements sur son
passage, mais également des masses compactes de policiers
à ses trousses dans *Cops* (1922), ou de prétendantes indignées
dans *Seven Chances* (1925), maelström de poursuivants aveugles
et déterminés. L'univers réglé du social se transforme insidieusement,
par une avalanche inexorable de catastrophes, en champ de ruines.
Si le film tend au procès de sa dissipation, il ressortit toutefois au
principe du feuilleton. Le prochain épisode (ou film) remet le décor
en place, prêt pour un nouveau pugilat.
Le corps burlesque est opiniâtre (c'est d'ailleurs cette volonté
mécanique qu'exacerba Carmelo Bene par son burlesque
d'empêchement). Même si le film se termine par un spectacle
apocalyptique et peu souriant, les personnages sauront toujours
retrouver une nouvelle énergie, à l'instar de la règle qui préside
au *cartoon* grâce à laquelle le corps de l'animal, troué, creusé,
dynamité, pelé, liquéfié, atomisé, effondré, se retrouve intact
au plan suivant. Cette puissance élastique de régénérescence,
dictée par la logique du gag, fut aussi expérimentée par le cinéma
sur le mode de la réversibilité, comme en témoigne l'un des
premiers films des frères Lumière, *Démolition d'un mur* (1896),
projeté à l'endroit puis dans l'autre sens pour le spectateur
incrédule éprouvant l'envers du temps. Jean Epstein est sans doute
le théoricien qui a écrit les pages les plus pénétrantes sur cette
temporalité énigmatique qui défait l'œuvre de la destruction
en substituant la cause à l'effet. Le mur qui se redresse accomplit
le retour du temps, sa *relève*. Ce faisant, le mode de l'inversion
temporelle a alimenté nombre de figures plastiques inouïes
au cinéma : les pétales qui se défroissent entre les mains
du manipulateur pour reformer la fleur originaire, les fragments
de verre épars qui se rassemblent pour reconstituer le flacon brisé,
la parole qui se ravale dans son souffle, etc. Autant de propositions
qui accusent et défont à la fois le travail de la mort.
"Comme la mort, l'amour se vit et ne se représente pas – ce n'est
pas sans raison qu'on l'appelle la petite mort –, du moins ne se
représente pas sans violation de sa nature", écrit André Bazin
dans son texte célèbre, "Mort tous les après-midi".
"Cette violation se nomme obscénité. La représentation de la mort
réelle est aussi une obscénité, non plus morale comme dans
l'amour, mais métaphysique. On ne meurt pas deux fois[1]."
Le film suppose un point de rupture au-delà duquel la représentation
est forclose.
Ce point a longtemps régulé l'économie des formes. Dès la fin
de la Seconde Guerre mondiale, le cinéma avait pourtant exploré
le devenir des corps après la destruction, la trace des camps,
la survie dans les ruines. Mais la représentation de la mort restait
encore une butée dont le franchissement supposait l'entrée dans
le registre reconnu du mythe ou du fantastique, une invitation
au flash-back ou, plus prosaïquement, la conclusion du récit.
Est-ce depuis 1963, l'année du film d'Abraham Zapruder filmant
l'assassinat de Kennedy, qu'un point a été déplacé ? De fait, le
cinéma contemporain n'est plus régulé par une butée qui organise
ses récits. Au contraire. Il explore les puissances d'une destruction
au carré. C'est à partir d'un accident tragique qu'un récit semble
possible. Après et d'après destruction. On relève cette stratégie

earthquake, etc.), leads inexorably to the abolition of all form.
Who could forget the storm in Buster Keaton's *Steamboat Bill Jr.*
(1928), carrying away façades and whole blocks of houses in its
passage, as well as the compact masses of policemen on his heels
in *Cops* (1922), and indignant female suitors in *Seven Chances*
(1925), forming a maelstrom of blind and determined pursuers.
The orderly world of society is insidiously turned into a field of
ruins, by means of a relentless avalanche of catastrophes.
Film may be inclined towards the process of its own dissipation,
but it still stems from the principle of the serial. The next episode
(or film), puts the decor back in place ready for another bout
of fisticuffs. The burlesque body is stubborn (it is, incidentally,
this mechanical desire that was exacerbated by Carmelo Bene
through his burlesque of a snag). Even if films end with an
apocalyptic and not very happy spectacle, the characters always
manage to recover new energy, just like the rule which governs
the cartoon, whereby the animal's body, full of holes, emptied out,
dynamited, skinned, liquified, atomized, and broken, ends up intact
in the following shot. This flexible power of regeneration, dictated
by the logic of the gag, was also experimented with by film in a
mode of reversibility, as is well illustrated by one of the earliest
films made by the Lumière brothers, *Demolition of a Wall* (1896),
projected the right way round and then the other way round for
the incredulous viewer experiencing the flip side of time.
Jean Epstein is probably the theoretician who has written the most
penetrating pages about this enigmatic time-frame, which undoes
the work of destruction by replacing effect with cause.
The wall which is re-erected achieves the reversal of time, its relief.
In so doing the method of temporal reversal has nurtured many
novel visual figures in film: crumpled petals that uncrumple in the
hands of the handler, reshaping the original flower, scattered
fragments of glass which come back together to recreate the bottle
that was broken, the word which is swallowed back into the breath
which has uttered it, etc. All so many propositions which at once
challenge and undo the work of death. "Like death, love is seen
and does not represent itself–there is a good reason why it is called
the 'petite mort/lesser death'–, or at least does not represent itself
without violating its own nature", wrote André Bazin in his famous
essay, "Death Every Afternoon". "This violation is called obscenity.
The representation of real death is also an obscenity, no longer
as in love, but metaphysical. You cannot die twice[1]."
The film presupposes a breaking point beyond which representation
is foreclosed. This point has long governed the economy of forms.
At the end of the Second World War, film had nevertheless explored
the future development of bodies after destruction, traces of the
camps, and survival amid the ruins. But the representation of death
was still a stumbling block, the negotiation of which presupposed
inclusion in the recognized key of myth and fantasy, an invitation
to the flashback or, more prosaically, the conclusion of the
narrative. Is it since 1963–the year when Abraham Zapruder filmed
the assassination of President Kennedy–that a point has been
shifted? Actually, contemporary film is not governed by a stumbling
block which organizes its narratives. Quite to the contrary, it
explores the powers of destruction squared. It is based on a tragic
accident that a narrative seems possible. Afterwards, and after

post mortem dans nombre de films contemporains.
Non seulement le film suppose une mort originelle, à la manière d'un coup de dés qui ouvre la fiction, mais surtout il confronte la destruction à elle-même. Tel est le destin temporel du personnage de *Terminator* de James Cameron (1984), revenant du futur, renaissant sans cesse au sein d'une destruction toujours plus violente. C'est moins le destin apocalyptique du récit qui nous surprend que la renaissance généralisée des formes sous l'œil du cyclone. Cette puissance est nouvelle. La destruction ne produit plus seulement la ruine, la trace, le déchet, auxquels nous étions habitués. Elle génère des formes et des récits depuis son propre venin.
On trouve dans le film de Peter Fischli et David Weiss, *Der Lauf der Dinge* (1987), une illustration assez frappante de la métamorphose du rebut. Dans cet univers de déchets, où abondent le caoutchouc et le plastique, le travail de destruction accompli par le feu, l'eau ou le gaz engendre continûment de nouveaux raccords. Telle est aussi l'hypothèse du film de Michael Snow, *To Lavoisier Who Died in the Reign of Terror* (1991), qui observe de manière réglée le retour des éléments soumis à la corrosion chimique. Les formes naissent de la destruction préméditée de leur support matériel. Ce jeu renvoie, bien sûr, au sort fait aujourd'hui à la pellicule dans l'histoire du cinéma mais aussi à l'histoire du médium lui-même confronté à sa propre survie, échangeant ses masques comme les duellistes troubles du film de John Woo, *Face-Off* (1997).

The Incredibles, la dernière production des studios Pixar, sont devenus en France *Les Indestructibles* (2004). Ce passage de l'incrédulité à l'indestructibilité reste assez étonnant. Des super-héros devenus inutiles doivent dissimuler leur force. Ils ne devront qu'à l'adversité d'un personnage malfaisant, Syndrome, de pouvoir faire un nouvel usage de leur pouvoir. Destruction contre destruction d'où naîtront des formes sidérantes : de la course de Flèche filant dans les airs à l'invisibilité inattendue de sa sœur Violette, des masses de glace formées par Frozone dans les rues de la ville aux déplacements énigmatiques d'Elastigirl se coulant, fluide et sinueuse, dans les encoignures et les couloirs. La destruction résiste à la destruction en explorant la capacité génétique des corps à se transformer. Elle opère désormais à la manière d'un virus qui serait son propre antidote.

destruction. This *post mortem* strategy occurs in many contemporary films. Not only does film presuppose an original death, like a throw of dice opening a fiction, but above all it compares the destruction in question to itself. This is the temporal fate of the character in James Cameron's *Terminator* (1984), returning from the future, and being endlessly reborn within an ever more violent destruction. We find ourselves less surprised by the apocalyptic destiny of the narrative than by the overall rebirth of forms in the eye of the cyclone. This power is new. Destruction no longer produces just ruins, traces, and debris, to which we had grown accustomed, it generates forms and narratives from its own venom. In the film by Peter Fischli and David Weiss, *Der Lauf der Dinge/The Course of Things* (1987), we find a somewhat striking illustration of the metamorphosis of the reject. In this world of waste, with its abundance of rubber and plastic, the work of destruction achieved by fire, water and gas continuously gives rise to new linkages. This is also the hypothesis of Michael Snow's film, *To Lavoisier Who Died in the Reign of Terror* (1991), which, in an orderly way, observes the return of elements subject to chemical corrosion. Forms emerge from the premeditated destruction of their physical medium. Needless to say, this game refers to the fate reserved today for film in the history of cinema, as well as being reserved for the history of the medium itself confronted by its own survival, exchanging its masks like the confused duellists in John Woo's film, *Face Off* (1997).

The Incredibles, the latest production from the Pixar Studios, has become *Les Indestructibles* (2004) in France. This shift from incredulity to indestructibility is somewhat surprising. Superheroes who have become useless must disguise their strength. They will have to be able to make a new use of their power out of the adversity of an evil-doing character, Syndrome. Destruction versus destruction, whence are born mind-boggling forms: from the flight of Flèche/Arrow flying through the air to the unexpected invisibility of his sister Violette, and from great lumps of ice formed by Frozone in the city streets, to the enigmatic movements of Elastigirl flowing, fluid and sensuous, in nooks and crannies and corridors. Destruction withstands destruction by exploring the genetic capacities of the bodies to be transformed. It henceforth works like a virus which is its own antidote.

Translated in English by Simon Pleasance

1. André Bazin, "Mort tous les après-midi (la course aux taureaux)", *Cahiers du cinéma*, n°7, décembre 1951, p. 63-65 ; repris dans *Le Cinéma français de la Libération à la Nouvelle Vague*, Paris, Éd. des Cahiers du cinéma, 1998, p. 372.

1. André Bazin, "Mort tous les après-midi (la course aux taureaux)", *Cahiers du cinéma*, n° 7, December 1951, p. 63-65; reprinted in *Le Cinéma français de la Libération à la Nouvelle Vague*, Paris, Éd. des Cahiers du cinéma, 1998, p. 372.

ALAIN BADIOU
Entretien avec Catherine Grenier

C. G. – Aucun siècle n'a valorisé à ce point la créativité, le nouveau, ce bien au-delà de la sphère artistique. En même temps, aucun siècle peut-être n'a autant vanté les mérites de la destruction. Pensez-vous que ce lien entre création et destruction caractérise le xxe siècle ?

A. B. – Sans aucun doute. Déjà dans l'œuvre prophétique de Nietzsche, on trouve la connexion entre une volonté très tendue de création, de nouveauté (le surhomme, le Grand Midi) et le désir de destruction (abolir l'infamie chrétienne). Chez Marx, après la Commune de Paris, il y a l'idée qu'on ne peut prendre telle quelle la machine d'État, qu'il faut la détruire. Ce qui est propre au xxe siècle est d'avoir tenté de réaliser ces programmes, de n'avoir reculé, souvent, devant aucune destruction, aucun sacrilège. Et aussi d'avoir étendu à la création artistique cette dialectique de la création et de la destruction. L'art du xxe siècle est du coup souvent le paradoxe d'un art iconoclaste, d'un art destiné à montrer la fin de l'art. Ou encore d'un art qu'anime le désir révolutionnaire de détruire la dimension séparée de l'art, d'en faire directement une forme de vie. De produire une œuvre désœuvrée.

C. G. – Dans votre livre, *Le Siècle*[1], vous dites que le propre du xxe siècle est l'articulation entre destruction et formalisation. Pouvez-vous préciser cette pensée ?

A. B. – Comment faire pour que la destruction soit positive ? Comment transformer la négation pure en affirmation ? Un des moyens est de proposer une formalisation intégrale. Pourquoi ? Parce que la forme pure, qui se montre comme forme, qui indique ses propres règles, semble bien abolir toute référence au contenu, toute démarche imitative ou représentative. Il y avait déjà cette idée, en littérature, chez Flaubert : écrire un roman sur n'importe quoi, qui tienne par la seule puissance autoréférentielle de l'écriture. Ou chez Mallarmé, pour lequel un poème peut être

ALAIN BADIOU
in conversation with Catherine Grenier

C. G. – No century has put such value on creativity and novelty–and not just in the realm of art, far from it. At the same time, it's quite possible that no century has extolled the merits of destruction quite so much, either. Do you think that this link between creation and destruction is the hallmark of the 20th century?

A. B. – No doubt about it. Already in Nietzsche's prophetic work we find the connection between a very keen desire for creation and novelty (Superman, for example), and the desire for destruction (doing away with Christian infamy). With Marx, after the Paris Commune, there was the idea that the machine of state could not be accepted as such, it had to be destroyed. What is peculiar to the 20th century is the fact of having tried to carry out these programmes, and the fact, often enough, of not retreating from any form of destruction or sacrilege. The fact, too, of having extended to artistic creation this dialectic of creation and destruction. So 20th century art is often the paradox of an iconoclastic art, an art destined to show the end of art. Or, alternatively, an art informed by the revolutionary desire to destroy the separate dimension of art, and directly turn it into a form of life. A desire to produce an art with nothing better to do.

C. G. – In your book *Le Siècle*[1] [*The Century*] you say that the distinctive feature of the 20th century is the articulation between destruction and formalization. Could you develop this line of thought?

A. B. – How are we to go about making destruction something positive? How are we to turn pure negation into affirmation? One way is to come up with a comprehensive formalization. Why? Because pure form, shown as form, and pointing to its own rules, does indeed seem to abolish all reference to content, as well as any imitative or representative approach. In literature this idea

un "aboli bibelot d'inanité sonore". Le xxᵉ siècle élargit ces perspectives, et se lance dans des entreprises radicales de formalisation-destruction. Et cela, me semble-t-il, dans deux directions. La première est constructiviste, géométrique, elle passe par Malevitch ou Mondrian. Elle est à l'école du mouvement axiomatique et formaliste qui travaille fortement les mathématiques du siècle, avec le programme de Hilbert ou le monumental traité de Bourbaki. L'autre est baroquisante, elle cherche l'explosion de la représentation dans une juxtaposition de ressources formelles hétérogènes, dans la versatilité infinie des dispositions. Elle passe sans doute par Picasso, puis par l'abstraction lyrique, et bien d'autres tentatives. On remarquera qu'en politique aussi, la juxtaposition de la destruction et de la formalisation opère, et dans les deux directions. Le Parti révolutionnaire, de type communiste, propose de réaliser la destruction de l'ordre capitaliste et bourgeois existant par les moyens d'une discipline de fer, d'un appareil surcodé et centralisé. À l'autre extrémité, l'idéologie du désir, du mouvement, de la créativité des multitudes, propose de parvenir immédiatement à de nouvelles formes de vie par une sorte de prolifération mouvante et activiste du désœuvrement.

C. G. – "Destruction" de la métaphysique chez Heidegger, "déconstruction" chez Derrida, "archéologie" chez Foucault, "antihumanisme" du structuralisme : ces formes de destruction sont-elles équivalentes ? Pourquoi se sont-elles multipliées, en particulier dans les sciences humaines ? Quel est le rapport de la psychanalyse à ces questions ?

A. B. – Tous les vocables que vous citez appartiennent au registre de la négation plutôt qu'à celui de la destruction. On peut ainsi dire que le motif de la fin de la métaphysique, chez Heidegger, s'oppose à une destruction pour lui essentielle : la destruction de la Terre par la technique. Derrida imagine un travail patient et acharné sur les écritures et les catégories, pour déposer la puissance métaphysique des partages. Pour lui, la violence n'est pas dans la déconstruction, mais dans le Vouloir qui impose les grands dualismes. Ne me semble réellement comporter une part de destruction que l'antihumanisme théorique, tel qu'on le trouve en effet chez tous les structuralistes des années 1960, y compris en premier chez Foucault mais chez Althusser ou chez Lacan aussi bien. C'est que le structuralisme introduit dans la pensée des sciences humaines et de la philosophie le motif fondamental de la formalisation. Voyez l'importance, à l'époque, du paradigme de la linguistique formelle, ainsi que celle de la logique mathématisée. Déjà Lévi-Strauss, à la fin des années 1940, en appelait à la théorie des groupes pour penser les lois de la parenté chez certains peuples de l'Australie. C'est par la médiation de la formalisation que le structuralisme emporte avec lui le désir de destruction que le xxᵉ siècle noue à l'idée prométhéenne de la création d'un homme nouveau. La psychanalyse a été mêlée à cette aventure, en particulier par Lacan. Tout un aspect de la pensée de Lacan consiste à transformer les modèles de Freud issus du xixᵉ siècle (la thermodynamique, la biologie des instincts…) en modèles appropriés au xxᵉ siècle, et donc pris dans le formalisme antihumaniste. Ceci dit, même dans sa version

already existed with Flaubert: writing a novel about any old thing, which holds up solely through the self-referential power of the writing. Or with Mallarmé, for whom a poem can be an "abolished knick-knack of acoustic inaneness". The 20th century broadens these vistas, and plunges into radical endeavours of formalization-destruction. And it does so, it seems to me, in two directions. The first is constructivist and geometric, proceeding by way of Malevich and Mondrian. This is in the school of axiomatic and formalist movement which sorely exercised the mathematics of the century, with Hilbert's programme and Bourbaki's monumental treatise. The other tends to the Baroque, seeking the explosion of representation in a juxtapositon of heterogeneous formal resources, and in the infinite versatility of arrangements. It probably proceeds by way of Picasso, and then through lyrical abstraction and several other directions taken. It is worth noting that in politics, too, the juxtaposition of destruction and formalization also functions, and in both directions. The communist type of Revolutionary Party proposes bringing about the destruction of the existing capitalist and bourgeois order by means of iron discipline, and a centralized and highly coded apparatus. At the other extremity, the ideology of desire, movement, and the creativity of the masses proposes the immediate attainment of new forms of life through a kind of moving and activist proliferation of thumb-twiddling idleness.

C. G. – "Destruction" of metaphysics with Heidegger, "deconstruction" with Derrida, "archaeology" with Foucault, the "antihumanism" of structuralism: are these forms of destruction all equivalent? Why have they increased in number, especially in the human sciences? What is the relationship between psychoanalysis and these issues?

A. B. – All the terms you mention belong to the key of negation rather than that of destruction. So we might say that the motif of the end of metaphysics, in Heidegger, contrasts with a, for him, essential destruction: the destruction of the Earth by technology. Derrida imagines a patient and relentless labour involving writings and categories, to depose the metaphysical power of divisions. For him, violence does not reside in deconstruction, but in the Wanting which dictates the great dualisms. The only thing that seems to me to really involve an element of destruction is theoretical antihumanism, as we find it, in fact, in all the structuralists of the 1960s, including the first one, Foucault–and in Althusser and Lacan as well. The fact is that structuralism introduces the fundamental motif of formalization into the thinking of the human sciences and philosophy. Look at the importance, at the time, of the paradigm of formal linguistics, as well as the paradigm of mathematicized logic. If we go back to Lévi-Strauss, in the late 1940s, he brought in group theory to work out the laws of kinship in certain peoples in Australia. It is through the mediation of formalization that structuralism carries with it the desire for destruction which the 20th century linked to the Promethean idea of the creation of a new man. Psychoanalysis was involved in this adventure, in particular in the figure of Lacan. A whole aspect of Lacan's thinking consists in transforming Freud's models

lacanienne, la psychanalyse est constitutivement sceptique quand il s'agit des propos fondateurs. Aussi bien Lacan voit-il vite à l'œuvre, dans la radicalité politique, les effets conjoints du désir d'avoir un Maître et de la pulsion de mort.

C. G. – Rétrospectivement, les grands désastres historiques du siècle ne jettent-ils pas une ombre sur la pratique de la table rase qui lui a été propre ? Comment encore envisager la destruction sous un angle positif ?

A. B. – Bien entendu. Mais je crois que ce qui a chargé la destruction de sa puissance de mort, au xxe siècle, concerne plus les notions de totalité et de définitif que celle de destruction. C'est l'idée d'un changement total de société (en politique), ou aussi bien l'idée d'une abolition de la représentation (en art), ou encore celle d'un formalisme définitif (en science), qui ont entraîné des négations sans issue. Nous devons aujourd'hui localiser la destruction, en circonscrire précisément le lieu, sans prétendre au Tout ni à la Fin. Notre problème est de conjoindre la destruction à la positivité d'une topologie de son exercice, et non à la catégorie de totalité. Nous devons assumer l'irréductible multiplicité des lieux ou des mondes. Sous cette condition, je crois encore vrai l'énoncé de Mao Zedong : "Sans destruction, pas de construction."

C. G. – Vous semblez récuser la notion de fin de l'histoire ou de postmodernité. Pensez-vous que les grandes questions fondamentales de la modernité sont aujourd'hui enterrées, où peuvent-elles survivre à ce qu'on nomme couramment la "fin des utopies" ?

A. B. – La "fin des utopies" ou le motif plus élaboré de Lyotard concernant "la fin des grands récits", peuvent s'entendre de deux manières. Si c'est le renoncement "modeste" à toute entreprise héroïque, mon sentiment est qu'il s'agit exactement de ce que Nietzsche appelle "le dernier homme". Une idéologie réactive et triste qui voue l'animal humain à sa jouissance modérée. Quelle tristesse, ce dernier homme, dont l'unique idée est de survivre dans les limites du bonheur ! S'il s'agit seulement de détotaliser la création et l'aventure, de nous situer face au multiple des risques et à la diversité sans unité possible des héroïsmes, alors, nous pouvons assumer une telle "fin". Elle ne sera qu'un nouveau début – après, sans doute, bien des hésitations et des guerres – de la modernité elle-même. En art comme en science et en politique, comme dans les formes de la vie personnelle, nous savons que le plus nouveau est encore à venir. "Communisme", appelons "communisme" cette nouveauté essentielle, que dans les ordres les plus divers de l'expérience, Rimbaud déjà désirait et dont déjà il doutait. Ce communisme reste, comme aurait dit un de mes maîtres, l'apôtre Paul, ma conviction, mon amour et mon espoir.

Entretien réalisé en avril 2005

stemming from the 19th century (thermodynamics, the biology of instincts…) into models appropriate for the 20th century, and thus caught up in antihumanist formalism. This said, even in its Lacanian version, psychoanalysis is essentially sceptical when it comes to its own founders. In political radicalness, Lacan was quick to see the joint effects of the desire for a Master and the death instinct both at work.

C. G. – With hindsight, don't the great historical disasters of the century cast a shadow over the clean slate praxis that was peculiar to it? How can destruction still be seen in a positive light?

A. B. – Of course. But I think that what loaded destruction with its power of death, in the 20th century, has more to do with notions of totality and definitiveness than with the idea of destruction. It's the idea of a total change of society (in politics), and just as much the idea of an abolition of representation (in art), or alternatively that of a definitive formalism (in science), which have introduced deadlocked negations. Today we must trace destruction, and precisely define its place, without making claims about the Whole, or the End. Our problem is to link destruction with the positivity of a topology of its exercise, and not with the category of totality. We must assume the insurmountable multiplicity of places and worlds. Under this condition, I think Mao Zedong's declaration is still true: "Without destruction, no construction."

C. G. – You seem to be challenging the notion of the end of history, and postmodernism. Do you think that the great fundamental issues of modernity have been buried today, or will they survive what is currently being called the "end of utopias"?

A. B. – The "end of utopias", and Lyotard's more developed motif to do with "the end of great narratives", can be taken in two ways. If the "modest" renunciation of all heroic endeavour is involved, then my feeling is that this is exactly what Nietzsche called "the last man". A sad and reactive ideology which destines the human animal to his moderate enjoyment of things. How sad, this last man, whose sole idea is to survive within the boundaries of happiness! If it is simply a question of un-reckoning creation and adventure, and setting ourselves up against the multiple of risk and diversity without any possible unity of heroisms, then we can assume such an "end". It will just be a new beginning–probably after many hesitations and wars–of modernity itself. In art, as in science and politics, and as in forms of personal life, we know that what is newest is still to come. "Communism", let's call "communism" that essential novelty which Rimbaud in his day desired in the most varied orders of experience, and which he had doubts about, even then. As one of my masters, Paul the apostle, would have put it, my conviction, my love and my hope.

Interview conducted in April 2005,
translated in English by Simon Pleasance

1. Alain Badiou, *Le Siècle*, Paris, Seuil, "L'ordre philosophique", 2005.

1. Alain Badiou, *Le Siècle*, Paris, Seuil, "L'ordre philosophique", 2005.

DESTRUCTION
DESTRUCTION

Pablo Picasso, Femmes devant la mer, 1956

DESTRUCTION
Catherine Grenier

"Que chaque homme crie : il y a un grand travail destructif, négatif, à accomplir. Balayer, nettoyer." Cette injonction, tirée du "Manifeste Dada 1918" lu par Tristan Tzara[1] le 23 mars 1918 à Zurich, montre bien l'atmosphère qui préside aux débuts de la modernité. Détruire le monde ancien pour reconstruire un monde neuf, moderne ! Détrôner l'homme vieux pour aller vers un homme nouveau ! Désintégrer les systèmes académiques pour instaurer un nouvel état d'esprit ! Tel est le programme proposé par l'art moderne, un programme qui inscrit l'idée de destruction au cœur même de la redéfinition de l'art, redéfinition qui ne cessera de s'opérer durant tout le siècle et jusqu'à aujourd'hui.

La destruction s'exerce à chacun des différents niveaux de l'acte créateur. On en trouve les prémisses dans la destitution des sujets traditionnels de l'art, puis elle va s'exercer sur la représentation, disloquer la figure, entraîner l'image dans un chaos que les différents mouvements artistiques viendront perpétuer ou réorganiser. L'image, le plan, les procédures, les thèmes, le sens même de l'art vont, au cours du siècle, se trouver tour à tour remis en cause, niés, déconstruits ou subvertis. Les artistes intègrent la destruction au cœur même de leur processus créatif. "Chez moi, un tableau est une somme de destructions. Je fais un tableau, ensuite je le détruis", déclare Pablo Picasso, qui ajoute, en soulignant la qualité créatrice de cette violence faite à l'œuvre : "Mais à la fin du compte, rien n'est perdu ; le rouge que j'ai enlevé d'une part se trouve quelque part ailleurs[2]."

DESTRUCTION
Catherine Grenier

"Let each man proclaim: there is a great negative work of destruction to be accomplished." This exhortation, made in the "Dada Manifesto 1918" read by Tristan Tzara[1] on 23 March 1918 in Zurich, gives a good idea of the atmosphere presiding over modernity's beginnings. Destroy the old world in order to reconstruct a new, modern world! Depose old mankind in order to move towards a new one! Dismantle the academy in order to institute a new state of mind! Such was the programme proposed by modern art, a programme that placed the idea of destruction at the very heart of the redefinition of art. And this redefinition has continued to be effective throughout the century, and through into the present.

The destruction works at each of the different levels of the creative act. From the initial rejection of the traditional subjects of art, it would then go on to attack representation, to dislocate the figure and to draw the image into a chaos that different art movements then perpetuated or reorganised. The image, the picture plane, the procedures, the themes, the very meaning of art would be called into question over the course of the century: negated, deconstructed, or subverted. Artists placed destruction at the base of their creative process. "In my case," Picasso declared, "a picture is a sum of destructions. I do a picture, then I destroy it." And the artist added, underscoring the creative quality of that violence done to the work of art, "In the end, though, nothing is lost; the red I took away from one place turns up somewhere else."[2]

Human representation was artists' first target. The subject that is divided and unknown to itself, as was revealed by psychoanalysis, has an equivalent in the distortions, disfigurements, and outrages that the human person and form were continuously subjected to in works of art. From the paintings of Picasso and Francis Picabia,

La représentation humaine est la première cible des artistes. La figure clivée, inconnue à elle-même qu'a révélée la psychanalyse, trouve son équivalent dans les distorsions, défigurations, outrages que les œuvres vont continûment faire subir à la forme et à la personne humaine. Des peintures de Picasso et de Francis Picabia, qui déforment la figure jusqu'au monstrueux, aux corps topographiques de Jean Dubuffet à la surface desquels affleurent les viscères, puis à Annette Messager qui collecte et organise les fragments d'une psychologie polymorphe, la figure est le terrain d'une lutte entre l'art et le réel, la forme et la passion. Le monde, de la même façon, constitue l'autre territoire sur lequel va s'exercer la violence d'une refondation du regard. Le plan et la perspective volent en éclats, se brouillent, et l'on assiste à une remise en cause fondamentale des relations entre le fond et la forme, entre l'intérieur et l'extérieur, entre l'essentiel et l'anecdotique, qui régulaient traditionnellement l'image. Les cubistes, Georges Braque comme Fernand Léger ou Robert Delaunay, proposent un fractionnement prismatique et géométrique de la surface. Le constructivisme organise l'interpénétration et la superposition de volumes primaires, dont on trouvera les effets dans de nombreux courants plastiques comme dans l'architecture. Mais la collusion des motifs et la dé-composition peuvent aussi s'exercer dans la superposition et le brouillage des images et des signes, tels qu'on les trouve chez Picabia et Sigmar Polke, ou encore chez Jackson Pollock et Christopher Wool.

En bouleversant la surface et en démantelant les systèmes de représentation, l'art remet en cause le statut de l'objet artistique dont la cohérence, les limites, la verticalité vont être mises à mal. La sculpture est démise de son socle et entraînée dans une conquête de l'espace qui prend des formes diverses : répétition et modularité amorcées chez Constantin Brancusi, puis développées par les artistes minimalistes, ou expansion hors limite chez les tenants de l'antiforme et du Land Art. Le passage à l'horizontal est la manifestation emblématique de cette nouvelle position de contestation de la forme. On en trouve des exemples extrêmes dans les coulures de matière libre des *Expansions* de César, ou dans le système régulier des assemblages au sol de Carl Andre. Sortant de l'espace du musée, la sculpture va se développer dans l'espace naturel – se définissant désormais comme environnement ou comme site – ou encore faire pénétrer l'espace brut dans la structure muséale, comme le fait Ulrich Rückriem. La distinction autrefois claire entre peinture et sculpture d'une part, architecture et mobilier de l'autre, va s'estomper voire être abandonnée par les artistes qui, en de nombreuses occasions, vont tenter une fusion ou une unification des arts. L'expressionnisme tout d'abord, puis le mouvement De Stijl et le Bauhaus, vont constituer les modèles d'un art "total" qui affirme une ambition réformatrice, anthropologique et sociale. L'affirmation de l'abstraction, et surtout d'une abstraction géométrique, servira d'élément fédérateur pour des disciplines qui trouvent dans

who distorted the figure to the point of rendering it monstrous, to the topographic bodies of Jean Dubuffet and their viscera which poke through their surfaces, and from there to Annette Messager, who collects and organises fragments of a polymorphous psychology, the figure is the field on which a struggle between art and reality, form and passion is played out. The visible world in general constitutes the other territory in which the violence of this recasting of the gaze was deployed. The picture plane and perspective were shattered and blurred, and there was a fundamental questioning of the relationship between content and form, inside and outside, the essential and the anecdotal, which traditionally governed the image. The Cubists, whether Georges Braque, Fernand Léger or Robert Delaunay, effected a prismatic, geometrical fractioning of the surface. Constructivism organised the interpenetration and superimposition of primary volumes, whose effects can be seen in numerous formal trends as well as in architecture. But the collusion of motifs and de-composition are also at work in the layering and confusing of images and signs as they are seen, for example, in the work of Picabia and Sigmar Polke, or Jackson Pollock and Christopher Wool.

By thoroughly disrupting the surface and dismantling systems of representation, art called into question the status of the artistic object, vigorously challenging its coherence, limits, and verticality. Sculpture was wrenched from its pedestal and dragged into a conquest of space that was to assume several forms: repetition and modularity initiated by the work of Constantin Brancusi and later developed by the Minimalists, or limitless expansion with the proponents of antiform and Land Art. The shift to the horizontal is the emblematic manifestation of this new position of challenging form. Extreme examples are found in the free flow of materials in César's *Expansions*, or Carl Andre's regular system of assemblages. Leaving behind museum space, sculpture developed in natural space—henceforth defined as an environment or a site, or brought raw space into the museum structure, as in the work of Ulrich Rückriem.

The once clear distinction between painting and sculpture on the one hand, and architecture and furniture on the other, was blurred or even abandoned by artists, many of whom would attempt to achieve a fusion or a unification of the arts. Initially expressionism and later the De Stijl movement and Bauhaus constituted the models for a "total" art that asserted a reforming, anthropological, and social ambition. The affirmation of abstraction and especially geometric abstraction was to serve as a unifying element for disciplines for which the grid provided a referent that could be applied at all the levels and to all the dimensions of art-making. The 20th century witnessed the inauguration of a geometric structuring of space that was to condition artistic composition as much as it did the city and our daily environment. Having become a theoretical marker, the grid found itself

la grille un référent applicable à tous les échelons et toutes les dimensions de la création. Le XXᵉ siècle voit l'instauration d'une structuration géométrique de l'espace, qui va conditionner tout aussi bien la composition artistique que la ville et l'environnement quotidien. Devenu un marqueur théorique, la grille se verra soumise à des aléas divers au cours du siècle, dynamisée par les couleurs vives dans les dernières œuvres de Piet Mondrian, brisée par Sophie Taueber-Arp, déformée par Paul Klee, parodiée dans le quadrillage de cordes de Claude Viallat, démembrée par Frank Stella, détournée enfin dans le mobilier de Ron Arad qui la rend circulaire ou dans les peintures de Sarah Morris qui, prenant pour modèle les façades d'immeubles, place son motif dans une indistinction entre l'abstraction et la figuration. Une grille sur laquelle les écrits de Michel Foucault sur le caractère autoritaire du fonctionnalisme de l'espace géométrique ont jeté la suspicion, et qui devient alors le lieu d'exercice d'un propos politique subversif.

La destruction du système perspectif classique peut passer par une hétérogénéisation de l'objet artistique, elle peut aussi s'exercer par le biais de la réduction. L'objectif de la table rase, que prônent de nombreux artistes, trouve son accomplissement dans l'épuration radicale des composantes de l'œuvre. Le monochrome constitue la forme privilégiée de cette aspiration à vider le tableau de l'inutile pour atteindre la couleur pure ou, dans la terminologie de plusieurs artistes, la lumière libérée du support. De nature spirituelle chez Kasimir Malevitch ou Yves Klein, analytique chez Ellsworth Kelly et Gottfried Honegger, ou plus théorique dans les photographies de ciels de Anne-Marie Jugnet et Alain Clairet, la réduction de la forme au principe d'une couleur unique connaît de nombreux développements tout au long du siècle. Le design, l'architecture multiplieront les objets monochromes de couleurs vives. Ce geste, à la fois définitif et indéfiniment réactivable, sera aussi commenté ou pris à partie dans des mises en scènes nostalgiques ou parodiques par des artistes comme John Baldessari ou Allan Mc Collum.

Avant-garde et modernisme auront ainsi contribué, sous des formes différentes, au "grand travail destructif". Un travail qui génère de nouvelles conceptions, mécanismes et procédures de création, dans un siècle tout entier placé sous le signe d'une invention de l'art.

subjected to various ups and downs throughout the century, energised by the bright colours of Piet Mondrian's final works, shattered by Sophie Taueber-Arp, distorted by Paul Klee, parodied in the rope patterns of Claude Viallat, dismembered by Frank Stella, and finally reappropriated in the furnishings of Ron Arad, who renders it circular, and the painting of Sarah Morris, who sets the motif in an indistinct zone between abstraction and figuration by taking building facades as her model. The writings of Michel Foucault on the authoritarian character of the functionalism of geometric space cast suspicion on that grid, which then became the site where a subversive political discourse was articulated.

The destruction of the classic system of perspective may come about through a uniformisation of the artistic object; it can also take place through reduction. The objective of the *tabula rasa*, which many artists have advocated, is fulfilled in the radical purging of the work of art's components. Monochrome painting constitutes the privileged expression of this longing to empty the picture of all that is useless in order to attain pure colour or, in the terminology employed by several artists, light freed from its support. Of a spiritual character in the work, Kasimir Malevich or Yves Klein, analytical in that of Ellsworth Kelly and Gottfried Honegger, or more theoretical in the sky photographs of Anne-Marie Jugnet and Alain Clairet, the reduction of form to the principle of a single colour underwent numerous developments over the course of the century. Design and architecture gave rise to numbers of brightly coloured monochrome objects. That gesture, both final and capable of endless reactivation, would also be commented on or taken to task in the nostalgic or parodic artworks staged by artists like John Baldessari or Allan McCollum.

The avant-garde and modernism thus contributed to the "great work of destruction" in a variety of ways. This work generated new conceptions, mechanisms, and procedures of art-making in a century placed under the banner of art as reinvention.

Translated in English by Charles Penwarden

1. Tristan Tzara, "Manifeste Dada 1918", lu à Zurich (salle Meise) le 23 mars 1918, paru dans *Dada 3*, Zurich, 1918 ; repris dans *Sept manifestes Dada, Lampisteries*, Paris, Jean-Jacques Pauvert, 1978, p. 33.
2. Christian Zervos, "Conversation avec Picasso [Boisgeloup, 1935]", *Cahiers d'Art*, 10ᵉ année, n° 7-10, 1935, p. 173 ; repris dans Charles Harrison et Paul Wood, *Art en Théorie, 1900-1990. Une anthologie par Charles Harrison et Paul Wood*, Paris, Hazan, p. 556.

1. Tristan Tzara, "Dada Manifesto 1918," read in Zurich (Meise Hall) 23 March 1918, published in *Dada 3*, Zurich, 1918. This excerpt reprinted in Charles Harrison, Paul Wood, *Art in Theory 1900-1990*, Oxford, Blackwell, 1992, p. 252.
2. Christian Zervos, "Conversation avec Picasso [Boisgeloup, 1935]", *Cahiers d'Art* (10th year), n°7-10, 1935, p. 173. This excerpt reprinted in Charles Harrison, Paul Wood, *Art in Theory 1900-1990*, Oxford, Blackwell, 1992, p. 499.

Willem De Kooning, The Clamdigger, 1972

Germaine Richier, L'Orage, 1947-1948

Alberto Giacometti, Femme debout II, 1959-1960

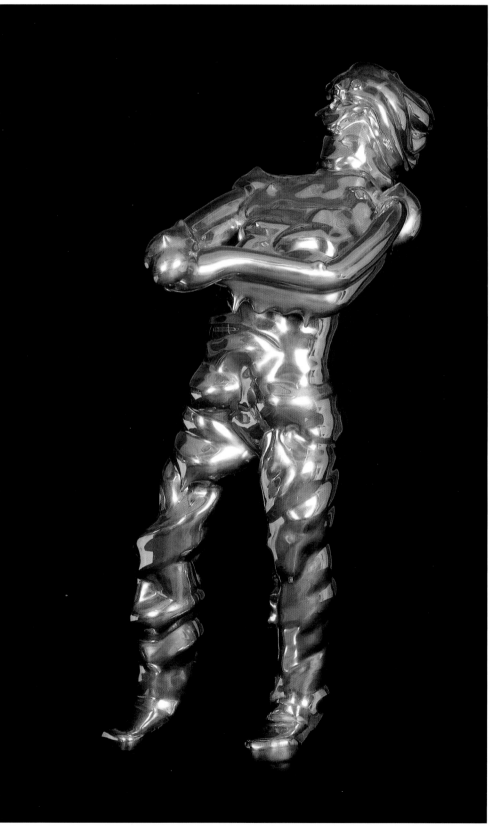

Thomas Schütte, Sans titre, 1996

Marlene Dumas, Mixed Blood, 1996

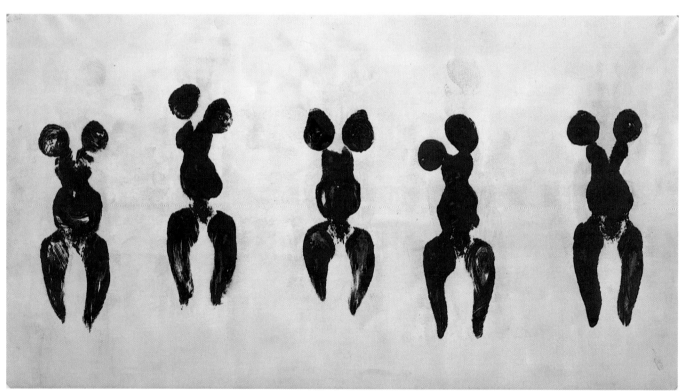

Yves Klein, Anthropométrie de l'époque bleue (ANT 82), 1960

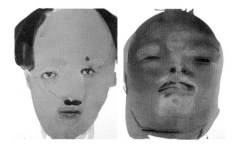

Andy Warhol, Ten Lizes, 1963

Henri Matisse, Nu de dos,
premier état, 1909-1950   deuxième état, 1913   troisième état, 1916-1917   quatrième état, 1930

Chaïm Soutine, Le Sculpteur Miestchaninoff, 1923

Francis Picabia, Le Rechiré, 1924/1926

Georg Baselitz, Ralf III, 1965

Bruce Nauman, Pulling Mouth, 1969

Christopher Wool, Untitled, 2002

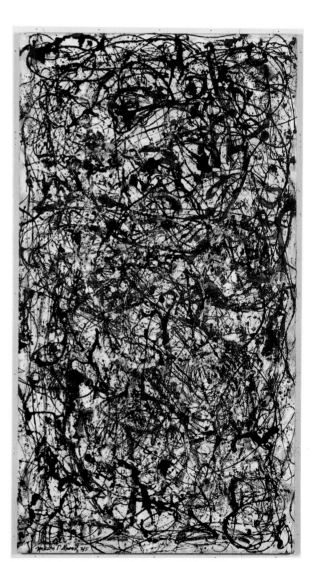

Jackson Pollock, Number 26 A, Black and White, 1948

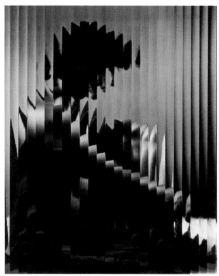

Erwin Blumenfeld, Lisette behind fluted glass, vers 1943

Coop Himmelb(l)au, Complexe d'appartements, Vienne, 1983

Robert Delaunay, La Ville n° 2, 1910

Marcel Breuer, Salle à manger réalisée pour Nina et Vassily Kandinsky, Dessau, 1926

Theo Van Doesburg, L'Aubette :
projet de composition pour
la grande salle des fêtes, 1926

Theo Van Doesburg, L'Aubette :
projet de composition pour
un plafond, 1926-1927

Jean Gorin, Maison de bureaux, Nort-sur-Erdre, 1927

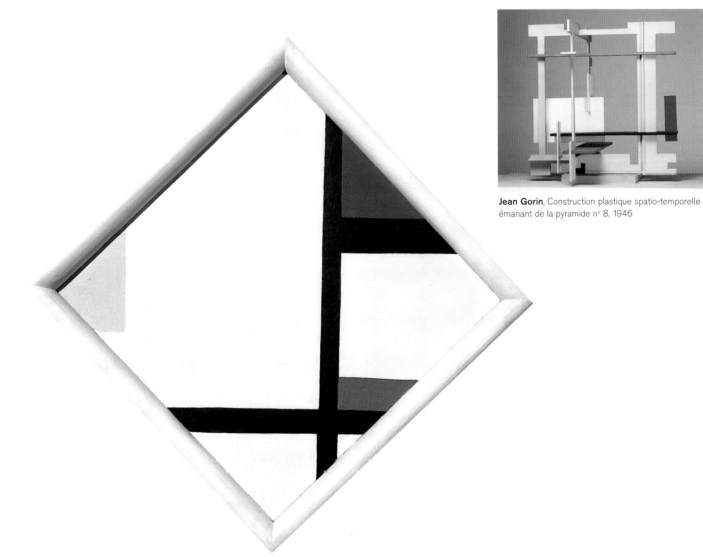

Jean Gorin, Construction plastique spatio-temporelle
émanant de la pyramide n° 8, 1946

Jean Gorin, Composition n° 5 losangique, 1926

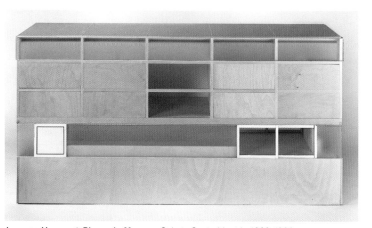

Jacques Herzog & Pierre de Meuron, Galerie Goetz, Munich, 1989-1992

Charles Eames, **Ray Eames**, ESU 400, 1950

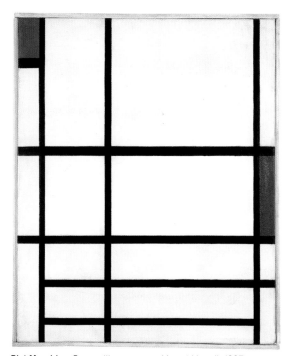

Piet Mondrian, Composition en rouge, bleu et blanc II, 1937
© 2005 Mondrian/Holtzman Trust c/o HCR International, Warrenton, VA USA

Katarzyna Kobro, Sculpture spatiale, 1928

Page 55 : **Donald Judd**, Stack, 1972

Allan Mc Collum, Plaster Surrogates, 1985

Kasimir Malevitch, Carré noir, vers 1923-1930

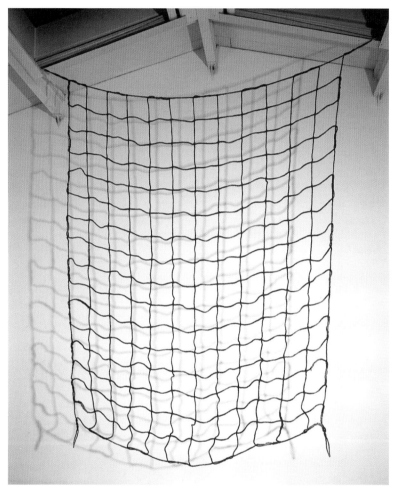

Claude Viallat, Filet, 1970

Paul Klee, Rhythmisches, 1930

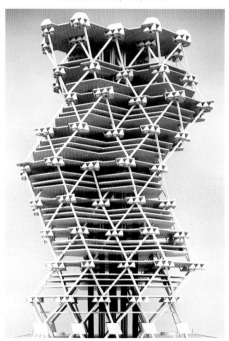

Louis Kahn, Projet de tour municipale, Philadelphie, 1952-1957

Ron Arad, This Mortal Coil, 1993

Walter Benjamin, "Le caractère destructeur" [1931],

dans *Œuvres*, t. II, trad. de l'allemand par Maurice de Gandillac,
Rainer Rochlitz et Pierre Rusch, Paris, Gallimard, 1989, p. 330-332 :

"Jetant un regard rétrospectif sur sa vie, il se pourrait qu'un homme se rende compte que presque toutes les relations approfondies qu'il a connues avaient trait à des personnes dont tout le monde admettait le 'caractère destructeur'.
Un jour, par hasard peut-être, il ferait cette découverte, et plus le choc qu'elle lui causerait serait violent, plus il aurait de chances de parvenir à dresser un portrait du caractère destructeur.
Le caractère destructeur ne connaît qu'un seul mot d'ordre : faire de la place ; qu'une seule activité : déblayer. Son besoin d'air frais et d'espace libre est plus fort que toute haine.
Le caractère destructeur est jeune et enjoué. Détruire en effet nous rajeunit, parce que nous effaçons par là les traces de notre âge, et nous réjouit, parce que déblayer signifie pour le destructeur résoudre parfaitement son propre état, voire en extraire la racine carrée. À plus forte raison, on parvient à une telle image apollinienne du destructeur lorsqu'on s'aperçoit à quel point le monde se trouve simplifié dès lors qu'on le considère comme digne de destruction. Tout ce qui existe se trouve ainsi harmonieusement entouré d'un immense ruban. C'est là une vue qui procure au caractère destructeur un spectacle de la plus profonde harmonie.
Le caractère destructeur est toujours d'attaque. Indirectement du moins, c'est la nature qui lui prescrit son rythme ; car il doit la devancer. Faute de quoi, elle se chargera elle-même de la destruction.
Le caractère destructeur n'a aucune idée en tête. Ses besoins sont réduits ; avant tout, il n'a nul besoin de savoir ce qui se substituera à ce qui a été détruit. D'abord, un instant du moins, l'espace vide, la place où l'objet se trouvait, où la victime vivait. On trouvera bien quelqu'un qui en aura besoin sans chercher à l'occuper.
Le caractère destructeur fait son travail et n'évite que la création. De même que le créateur cherche la solitude, le destructeur doit continuellement s'entourer de gens, témoins de son efficacité.
Le caractère destructeur est un signal. De même qu'un repère trigonométrique est exposé à tout vent, il est exposé à tous les racontars. Vouloir l'en protéger n'a pas de sens.
Le caractère destructeur ne souhaite nullement être compris. À ses yeux, tout effort allant dans ce sens est superficiel. Le malentendu ne peut l'atteindre. Au contraire, il le provoque, comme l'ont provoqué les oracles, ces institutions destructrices établies par l'État. Le phénomène le plus petit-bourgeois qui soit, le commérage, ne surgit que parce que les gens ne souhaitent pas être mal compris. Le caractère destructeur accepte le malentendu ; il n'encourage pas le commérage.
Le caractère destructeur est l'ennemi de l'homme en étui. Ce dernier cherche le confort, dont la coquille est la quintessence. L'intérieur de la coquille est la trace tapissée de velours qu'il a imprimée sur le monde. Le caractère destructeur efface même les traces de la destruction.

Le caractère destructeur rejoint le front des traditionalistes. Certains transmettent les choses en les rendant intangibles et en les conservant ; d'autres transmettent les situations en les rendant maniables et en les liquidant. Ce sont ces derniers que l'on appelle les destructeurs.
Le caractère destructeur possède la conscience de l'homme historique, son impulsion fondamentale est une méfiance insurmontable à l'égard du cours des choses, et l'empressement à constater à chaque instant que tout peut mal tourner.
De ce fait le caractère destructeur est la fiabilité même.
Aux yeux du caractère destructeur rien n'est durable. C'est pour cette raison précisément qu'il voit partout des chemins. Là où d'autres butent sur des murs ou des montagnes, il voit encore un chemin. Mais comme il en voit partout, il lui faut partout les déblayer. Pas toujours par la force brutale, parfois par une force plus noble. Voyant partout des chemins, il est lui-même toujours à la croisée des chemins. Aucun instant ne peut connaître le suivant. Il démolit ce qui existe, non pour l'amour des décombres, mais pour l'amour du chemin qui les traverse.
Le caractère destructeur n'a pas le sentiment que la vie vaut d'être vécue, mais que le suicide ne vaut pas la peine d'être commis."

Louis-Ferdinand Céline, *Guignol's Band* [1944],

Paris, Gallimard, 1952, p. 13-14.

"Braoum ! vraoum !... C'est le grand décombre !... Toute la rue qui s'effondre au bord de l'eau !... C'est Orléans qui s'écroule et le tonnerre au Grand Café !... Un guéridon vogue et fend l'air !... Oiseau de marbre !... virevolte, crève la fenêtre en face à mille éclats !... Tout un mobilier qui bascule, jaillit des croisées, s'éparpille en pluie de feu !... Le fier pont, douze arches, titube, culbute au limon d'un seul coup ! La boue du fleuve tout éclabousse !... brasse, gadouille la cohue qui hurle étouffe déborde au parapet !... Ça va très mal...
Notre bouzine cane, grelotte, engagée traviole au montoir entre trois camions déporte, hoquète, elle est morte ! Moulin fourbu ! Depuis Colombes qu'elle nous prévient qu'elle en peut plus ! de cent malaises asthmatiques... Elle est née pour les petits services... pas pour les chasses à courre d'enfer !... Toute la foule râle à nos trousses qu'on avance pas... Qu'on est calamité pourrie ! C'est une idée ! Les deux cent dix-huit mille camions, chars d'assauts et voitures à bras, dans l'épouvante massés fondus chevauchant à qui passera le premier cul par-dessus tête le pont croulant, s'empêtrent, s'éventrent, s'écrabouillent à tant que ça peut... Seule une bicyclette en réchappe et sans guidon...
Ça va mal !... Le monde s'écroule !...
'Avancez donc charognes freineuses ! Et chiez donc malotrus vaseux !' Tout n'est pas dit ! Pas accompli ! Il en reste à faire !... Pirouette !"

CONSTRUCTION
DÉCONSTRUCTION
CONSTRUCTION
DÉCONSTRUCTION

William Alsop, **Massimiliano Fuksas**, **Jean Nouvel**, **Otto Steidle**, Tour européenne, Hérouville-Saint-Clair, Calvados, 1987-1988

CONSTRUCTION/DÉCONSTRUCTION
Brigitte Leal

Dès 1909, les cubistes Georges Braque et Pablo Picasso font, selon les termes de Daniel-Henry Kahnweiler, "éclater la forme homogène" avant d'élaborer, avec les papiers collés, une nouvelle sémiologie plastique fondée sur la synecdoque et la métonymie et de poser les prémices d'une sculpture ouverte et transparente (Picasso, *Le Verre d'absinthe*, 1914 ; Henri Laurens, *Bouteille et verre*, 1918). Tous les processus de déconstruction formelle sont engagés. Mais ces expériences relèvent encore du domaine du "rétinien" qui sera dénoncé par Marcel Duchamp. Adepte de Raymond Roussel, dont les *Impressions d'Afrique* (1910) déconstruisent le langage, Duchamp abandonne la peinture en 1913 pour la création d'*objets* étrangers aux catégories artistiques traditionnelles qui bousculent notamment la notion d'original (les readymades), et l'élaboration de notes et de documents qui mettent en place un art conceptuel.

Penser/classer

Entre 1914 et 1966, une partie de l'activité artistique de Duchamp consiste en l'élaboration de notes manuscrites préparatoires à ses œuvres. Ces notes ou ces commentaires hermétiques sont contenus dans des boîtes qui constituent également des œuvres en elles-mêmes, dans la mesure où le travail de Duchamp relève autant de la spéculation intellectuelle que de la réalisation proprement dite. Ainsi, *La Boîte verte*, éditée en 1934, renferme 93 fac-similés de notes et d'œuvres conçues entre 1912 et 1915 en vue de la réalisation du *Grand Verre* intitulé, *La Mariée mise à nu par ses célibataires, même*, une sorte de boîte optique transparente figurant, selon André Breton, "une interprétation mécaniste, cynique des phénomènes amoureux" Directement issu des recherches verbales et de la pensée théorique de Duchamp, l'art conceptuel, qui s'élabore dans les années 1970, se consacre aux formes textuelles. Si les notes de Duchamp, riches de sa culture encyclopédique mais farcies de calembours et de contrepèteries, descendaient encore d'une tradition littéraire ironique, symboliste avec Laforgue

CONSTRUCTION/DECONSTRUCTION
Brigitte Leal

In 1909, to borrow Daniel-Henry Kahnweiler's words, the Cubists Georges Braque and Pablo Picasso "exploded the homogeneous form", before developing, with the use of the pasted papers, a new visual semiology based on synecdoche and metonymy, and establishing the premisses for an open and transparent form of sculpture (Picasso, Le *Verre d'absinthe*, 1914; Henri Laurens, *Bouteille et verre*, 1918). All the processes of formal deconstruction were involved. But these experiments also revealed the field of the "retinal" which would be spoken out against by Marcel Duchamp. As a follower of Raymond Roussel, whose *Impressions d'Afrique* (1910) deconstructed language, Duchamp abandoned painting in 1913 for the creation of objects not usually found in the traditional artistic categories, which, in particular, upset the notion of the original (his readymades); he also produced notes and documents which established a conceptual art.

Thinking/classifying

Between 1914 and 1966, part of Duchamp's artistic activity consisted in writing preparatory handwritten notes for his works. These notes and hermetic comments were contained in boxes which were themselves also works, in so much as Duchamp's work stemmed as much from intellectual speculation as from actual realization. So *La Boîte verte*, produced in 1934, contains 93 facsimiles of notes and works planned between 1912 and 1915, with a view to the execution of the *Large Glass/Grand Verre*, titled *The Bride Stripped Bare by her Bachelors, Even*, a sort of transparent optical box featuring, according to André Breton, "a mechanical, cynical interpretation of amorous phenomena". Hailing directly from Duchamp's verbal research and theoretical thinking, conceptual art, which was formulated as such in the 1970s, is devoted to textual forms. Duchamp's notes, enriched by his encyclopaedic culture but also full of wordplay, puns, and spoonerisms, still issued from an ironical literary tradition—symbolist with Laforgue and pataphysical with Jarry, but the works of

et pataphysique avec Jarry, les réalisations des artistes conceptuels se fondent sur des références plus contemporaines.

Elles puisent dans les théories des systèmes de communication de Marshall McLuhan ou les analyses des topologies formelles du langage du *Tractatus Logicus* de Ludwig Wittgenstein. On peut aussi les rapprocher des travaux expérimentaux de l'OuLiPo, de la méthode (*Penser/classer*) et des lipogrammes de Georges Perec (*La Disparition* écrite sans la lettre "e") ou des structures mathématiques de Jacques Roubaud.

L'Américain Joseph Kosuth, qui se revendique comme l'héritier spirituel de Duchamp et de Gertrude Stein, inscrit ses exercices tautologiques sur les murs grâce à des néons lumineux (*One Colour, Five Adjectives*, 1966). Ses disciples Anglais réunis dans le groupe Art and Language poussent sa théorie de "l'art qui est la définition de l'art" et conçoivent le langage comme une procédure artistique en soi. Leur immense production linguistique est archivée sur des fiches Kardex banales classées dans des casiers (*Sans titre*, 1973). Stanley Brouwn utilise le même outil archivistique pour comptabiliser des expériences spatiales concrètes. Son fichier *Trois pas = 2587 mm* (1972-1973) enregistre méticuleusement ses propres déplacements à partir de fiches imprimées mesurant chacun de ses pas. Faut-il s'étonner que les fragiles boîtes de Duchamp, ces ateliers miniatures et portatifs, parfois maladroitement bricolés (*La Boîte en valise*) et encore issus de la tradition humaniste des cabinets de curiosité, aient débouché sur des fichiers métalliques anonymes et des procédures d'enregistrement neutres, de type administratif et judiciaire, qui renvoient à l'univers concentrationnaire ?

L'informe

En 1996, une exposition organisée par le Centre Pompidou et intitulée d'après un concept de Georges Bataille, "L'informe : mode d'emploi", proposait une sorte de contre-histoire de l'art moderne, longtemps défini comme l'acmé de la forme pure, en étudiant la manière sacrilège et profanatrice dont récemment les formes, les concepts et les valeurs traditionnels ont été renversés ou reniés.

Ce "Big Bang" artistique, cette explosion sans précédent, qui dynamite l'existence même du tableau et de la sculpture, s'appuie sur des procédures aléatoires ou violentes habituellement considérées comme étrangères au champ artistique et engendre des antiformes comme, par exemple, des sculptures vides ou molles totalement contraires aux critères connus.

C'est, une fois de plus, Duchamp qui crée le scandale. En 1913, il n'hésite pas à défier le système métrique avec le simple assemblage de règles en bois des *3 stoppages-étalon*, qui selon l'explication portée dans une note de *La Boîte* de 1914, est le résultat de la chute de fils qui en tombant se déforment et constituent une figure nouvelle de l'unité de longueur. La sculpture aléatoire, fruit du hasard et d'un geste absurde digne du docteur Faustroll, était née. Dans une même lignée néodadaïste de

conceptual artists are based on more contemporary references. They draw on Marshall McLuhan's theories about communication systems, and the analyses of formal linguistic topologies in Ludwig Wittgenstein's *Tractatus Logicus*. They can also be compared with the experimental works of the OuLiPo (the Ouvroir de Littérature Potentielle, founded by François Le Lionnais and Raymond Queneau in 1960), the method (Penser/classer, Thinking/Classifying) and lipograms of Georges Perec (*La Disparition/A Void*, entirely written without the vowel "e"), and the mathematical structures of Jacques Roubaud.

The American artist Joseph Kosuth, claiming to be the spiritual heir of Duchamp and Gertrude Stein, wrote his tautological exercises on walls using neon lights (*One Colour, Five Adjectives*, 1966). His English disciples, brought together in the Art & Language group, developed his theory of "art which is the definition of art", and conceived of language as an artistic procedure per se. Their massive linguistic production is filed on common-or-garden Kardex index cards categorized in pigeonholes (*Sans titre/Untitled*, 1973). Stanley Brouwn used the same filing tool to make a record of concrete spatial experiments. His file *Trois pas = 2587 mm* (1972-1973) meticulously records his own movements based on printed cards measuring each one of his footsteps.

Is it really surprising that Duchamp's fragile boxes, those miniature portable studios, sometimes clumsily cobbled together (*La Boîte en valise/Box in a Valise*) and still stemming from the humanist tradition of cabinets of curiosities or Wunderkammer, should have culminated in anonymous metal card-index boxes and neutral registration procedures, administrative and legal in type, which refer to the world of concentration camps?

The Informe

In 1966, an exhibition organized by the Pompidou Centre and titled after a concept of Georges Bataille, "L'Informe: mode d'emploi"/ "The Formless: A User's Manual", proposed a kind of counter-history of modern art, long defined as the acme of pure form, by examining the sacrilegious and blasphemous manner in which traditional forms, concepts and values have been recently capsized and rejected.

The artistic "Big Bang", this unprecedented explosion, dynamiting the very existence of both picture and sculpture, is based on random and violent procedures usually regarded as alien to the art arena, and gives rise to anti-forms like, for example, soft and empty sculptures going completely against the grain of known criteria.

Once again, it was Duchamp who created the scandal. In 1913, he unhesitatingly challenged the metric system with the simple assembly of wooden rules in *3 Standard Stoppages*, which, based on the explanation included in a note for the 1914 *La Boîte/The Box*, was the result of threads which, as they fell, were deformed and made a new figure of the unit of length. The random sculpture, outcome of chance and an absurd gesture worthy of Dr. Faustroll, was born. In the same neo-dadaist tradition of poetic subversion, Robert Filliou designed installations, such as his famous

subversion poétique, Robert Filliou conçoit des installations, comme son fameux *Poïpoïdrome* (1963) ou *La Cédille qui sourit* (1965), qui sont des lieux de création permanente, dans l'esprit libertaire et utopique de Mai 68, "où il n'y a rien à apprendre", où le spectateur devient artiste. Ainsi, seule son intervention peut rendre opérationnel et actif le jeu de cartes montées sur pupitres de *Musique télépathique n° 5* (1976-1978), espèce d'orchestre ludique privé de sons, reflétant une sorte de nostalgie mallarméenne de l'unité enfantine, qui trouvera son aboutissement dans l'ensemble des 5 000 dés de *Un, Eins, One* (1984).

Dans les années 1960, toute une génération d'artistes en révolte – les Français regroupés autour du Nouveau Réalisme et les Italiens au sein de l'art informel (avec les combustions plastiques d'Alberto Burri) – vont s'attaquer directement à l'objet même de leur travail, le tableau, à travers des procédures violentes et spectaculaires, mises en scène de façon ostentatoire dans des *happenings* ouverts au public. Niki de Saint Phalle imagine des "tableaux-surprise" où le spectateur est invité à tirer à la carabine sur des poches de couleur se répandant sur la toile. Jean Tinguely remplace carrément le peintre par des "machines à peindre" capables de produire à grande vitesse une multitude d'œuvres. Arman intitule *Accumulations* (1959), *Colères* (1961) ou *Combustions* (1963), les résultats de ses actions qui consistent à empiler, brûler ou briser des objets. Les morceaux de piano détruits publiquement de *Chopin's Waterloo* (1962) sont finalement remontés et rassemblés classiquement sur un panneau. Proche des constructions cubistes, entre sculpture et peinture, l'œuvre constitue une composition allégorique de la haine de la belle musique incarnée par les valses de Chopin. Mais elle reste cantonnée dans le domaine d'une esthétique conventionnelle alors que le piano recouvert de feutre par Joseph Beuys (*Infiltration homogen für Konzertflügel*, 1966) est une pièce de protestation politique (liée à la dénonciation du scandale des enfants "thalidomides") d'un réel impact sur le spectateur.

La notion même de sculpture et de toutes ses techniques habituelles liées à des matériaux nobles et durs, est complètement bouleversée par le choix de matières inédites et fragiles (tissus, papiers, poudres, sables, liquides, boues, plastiques), dont la malléabilité et la souplesse créent des formes mobiles, changeantes, transformables à volonté, informelles (Barry Flanagan, *Casb, 1'67*, 1967), qui renvoient au modèle du fameux crachat de Bataille, qui est "par son inconsistance, ses contours indéfinis [...] le symbole même de *l'informe*, de l'invérifiable, du non-hiérarchisé, pierre d'achoppement molle et gluante qui fait tomber, mieux qu'un quelconque caillou, toutes les démarches de celui qui s'imagine l'être humain comme étant quelque chose[1]".

Poïpoïdrome (1963) and *La Cedille qui sourit/The Smiling Cedilla* (1965), which were on-going creative sites, in the libertarian and utopian spirit of May '68, "where there is nothing to be learnt", where the onlooker becomes an artist. So only his intervention can make the card game set up on desks in *Musique télépathique n° 5* (1965-1978), a sort of larksome orchestra with no sounds, reflecting a kind of Mallarmé-like nostalgia for childlike unity, which would have its culmination in the set of 5,000 dice of *Un, Eins, One* (1984).

In the 1960s, a whole generation of artists in revolt–the French clustered around New Realism and the Italians within informal art (with Alberto Burri's plastic combustions)–would get directly to grips with the very object of their work, the picture, by way of violent and spectacular procedures, presented in an ostentatious way in happenings open to the public. Niki de Saint Phalle came up with "surprise-pictures" where the viewer is invited to fire a rifle at pouches of colour which would then spread over the canvas. Jean Tinguely fairly and squarely replaced the painter by "painting machines" capable of producing a whole host of works at great speed. Arman called the results of his actions *Accumulations* (1959), *Colères/Fits of Anger* (1961) and *Combustions* (1963)– actions consisting in piling, burning and breaking objects. The bits and pieces of a piano, destroyed in public, in *Chopin's Waterloo* (1962) were in the end put back together and assembled in a classical manner on a piece of board. Akin to Cubist constructions, and somewhere between sculpture and painting, the work is an allegorical composition of a hatred of beautiful music embodied by Chopin's waltzes. But it remains confined within the arena of a conventional aesthetics, while Joseph Beuys's felt-covered piano (*Infiltration homogen für Konzertflügel*, 1966) is a piece of political protest (associated with the denunciation of the scandal over "*thalidomide*" children) which has a real impact on the onlooker. The very notion of sculpture and all its usual techniques linked with noble and hard materials was totally capsized by the choice of never-before-used, novel and fragile forms of matter (fabrics, papers, powders, sands, liquids, muds, plastics), whose malleability and suppleness created forms that were moveable, changing, transformable at will, and informal (Barry Flanagan, *Casb, 1'67*, 1967), referring to a model of Bataille's famous spittle, which is "by its inconsistency, its undefined outlines [...] the very symbol of the inform, the unverifiable, the non-hierarchized, a soft and sticky stumbling block which, better than any pebble, topples all the methods and approaches of anyone who imagines the human being as being something[1]".

Translated in English by Simon Pleasance

1. Michel Leiris, "L'eau à la bouche", *Documents*, n° 7, 1929, "Dictionnaire critique", p. 381-382 ; repris dans Georges Bataille, *Œuvres complètes*, vol. I, Paris, Gallimard, 1970.

1. Michel Leiris, "L'eau à la bouche", *Documents*, n° 7, 1929, "Dictionnaire critique", p. 381-382; reprinted in Georges Bataille, *Œuvres complètes*, vol. I, Paris, Gallimard, 1970.

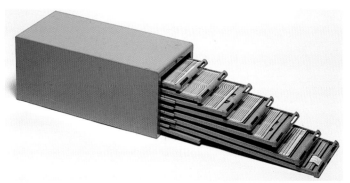

Art and Language, Sans titre, 1973

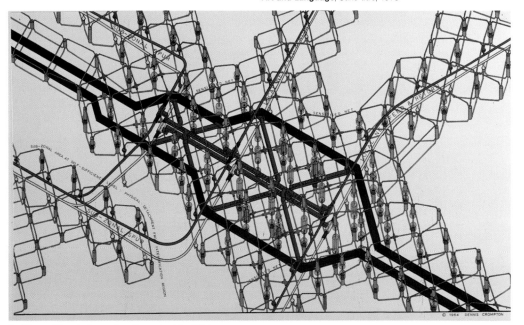

Archigram/Dennis Crampton, Computor City, 1964

Robert Morris, Card File, 1962

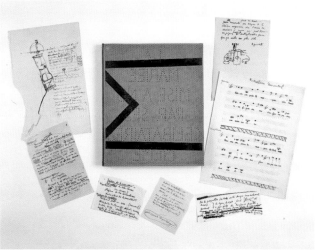

Marcel Duchamp, La Boîte verte, 1934

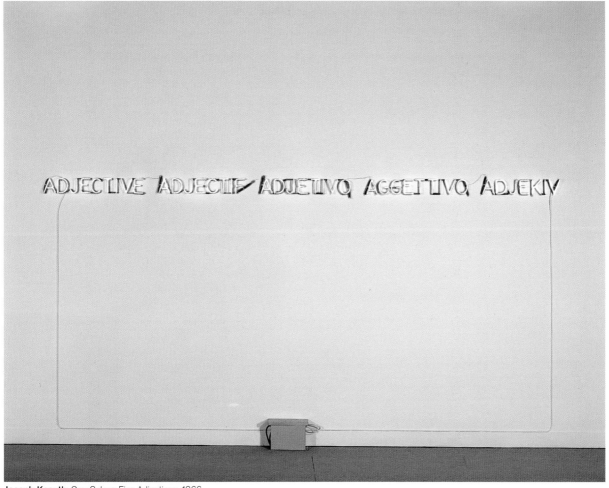

Joseph Kosuth, One Colour, Five Adjectives, 1966

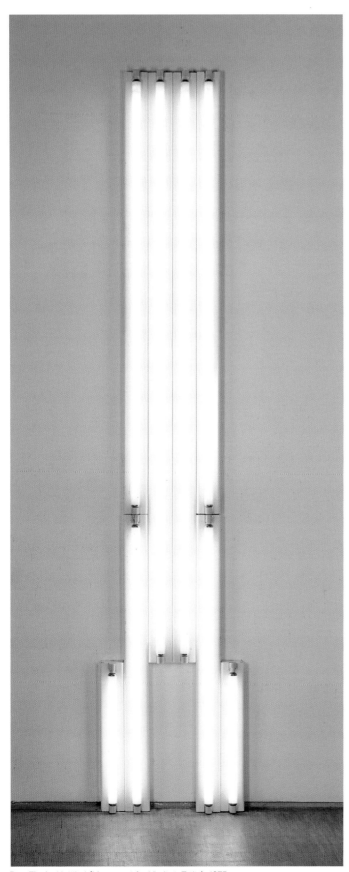

Dan Flavin, Untitled (Monument for Vladimir Tatlin), 1975

Jean Arp, Constellation, 1932/1961

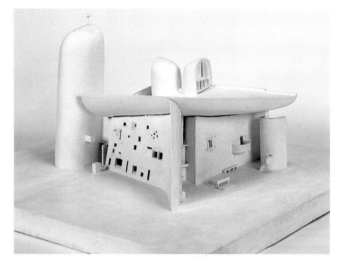

Le Corbusier, Chapelle Notre-Dame-du-Haut, Ronchamp, 1950-1955

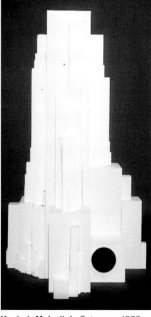

Kasimir Malevitch, Gota, vers 1923

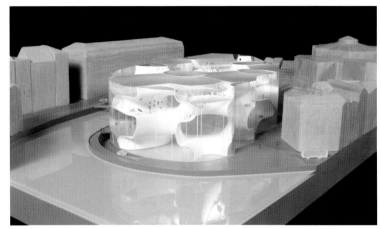

Toyo Ito, Forum de la musique, de la danse et de la culture visuelle, Gand, 2004

Robert Julius Jacobsen,
Graphisme en fer, vers 1951

László Moholy-Nagy, Composition A.XX, 1924

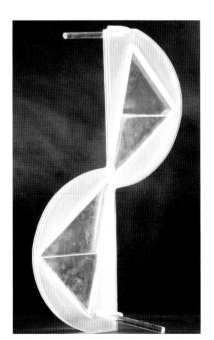

Gyulia Kosice, Première Sculpture hydraulique,
1958-1960

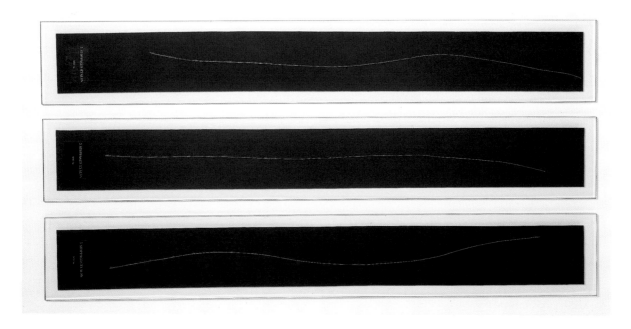

Marcel Duchamp, 3 Stoppages-étalon, 1913/1964

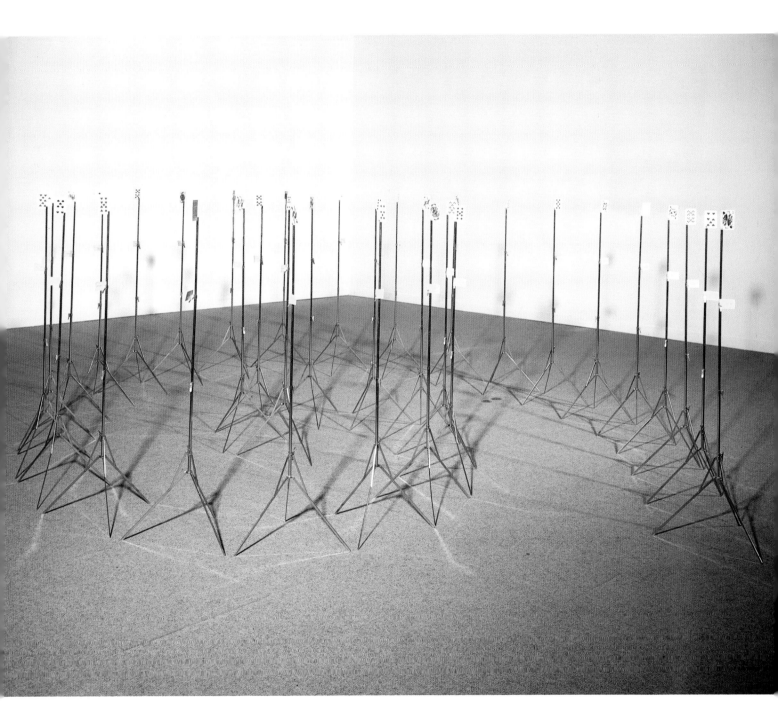

Robert Filliou, Musique télépathique n° 5, 1976-1978

Issey Miyake, Rhythm Pleats, 1990

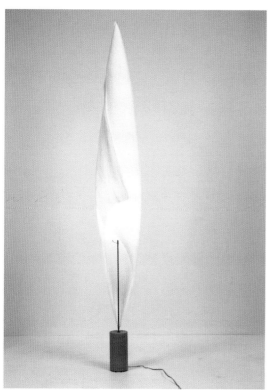

Ingo Maurer, Lampadaire Wo-Tum-Bu 1, 1998

Claes Oldenburg, Ghost Drum Set, 1972

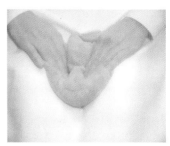

Marie-Ange Guilleminot,
Mes Poupées, 1993

Kol/Mac Studio, Resi/Rise Skyscraper, 1999

Piero Gatti, Cesare Paolini, Franco Teodoro, Sacco, 1968

Robert Morris, Mirror, 1969

André Kertesz, Distorsion n° 60, 1933

Constantin Brancusi,
Le Nouveau-Né II, 1927

Marc Newson, Alufelt Chair, 1993

Robert Smithson, Mirror Vortex, 1964

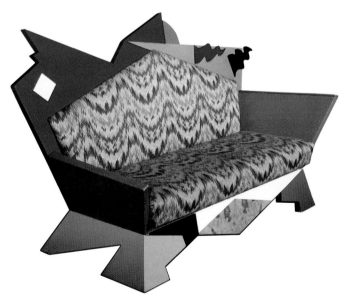

Henri Laurens, Bouteille et verre, 1918

Daniel Buren, Éclats peints n° 78 Vert Armor, 1985

Kurt Schwitters, Prikken paa I en, 1939

Alessandro Mendini, Canapé Kandissi, 1979

Arman, Chopin's Waterloo, 1961

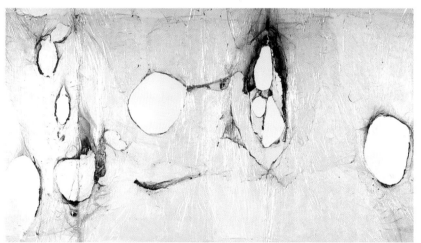

Alberto Burri, Combustione Plastica, 1964

Gordon Matta-Clark, Conical Intersect, 1975

Samuel Beckett, *Comment c'est* [1961],
Paris, Édition de Minuit, 1992, p. 9-11.

"comment c'était je cite avant Pim avec Pim après Pim
comment c'est trois parties je le dis comme je l'entends

voix d'abord dehors quaqua de toutes parts puis en moi
quand ça cesse de haleter raconte-moi encore finis de me
raconter invocation

instants passés vieux songes qui reviennent ou frais comme
ceux qui passent ou chose chose toujours et souvenirs je les
dis comme je les entends les murmure dans la boue

en moi qui furent dehors quand ça cesse de haleter bribes
d'une voix ancienne en moi pas la mienne

ma vie dernier état mal dite mal entendue mal retrouvée mal
murmurée dans la boue brefs mouvements du bas du visage
pertes partout

recueillie quand même c'est mieux quelque part telle quelle
au fur et à mesure mes instants pas le millionième tout perdu
presque tout quelqu'un qui écoute un autre qui note ou
le même

ici donc première partie comment c'était avant Pim ça suit
je cite l'ordre à peu près ma vie dernier état ce qu'il en reste
des bribes je l'entends ma vie dans l'ordre plus ou moins
je l'apprends je cite un moment donné loin derrière un temps
énorme puis à partir de là ce moment-là et suivants
quelques-uns l'ordre naturel des temps énormes.

première partie avant Pim comment échoué ici pas question
on ne sait pas on ne dit pas et le sac d'où le sac et moi si c'est
moi pas question impossible pas la force sans importance

la vie la vie l'autre dans la lumière que j'aurais eue par
instants pas question d'y remonter personne pour m'en
demander tant jamais été quelques images par instants dans
la boue terre ciel des êtres quelques-uns dans la lumière
parfois debout."

Jacques Derrida, *Positions.*
Entretiens avec Henri Ronse, Julia Kristeva,
Jean-Louis Houdebine, Guy Scarpetta,
Paris, Éditions de Minuit, 1972, p. 56-57.

"Ce qui m'intéressait à ce moment-là, ce que j'essaie de
poursuivre selon d'autres voies maintenant, c'est, en même
temps qu'une 'économie générale', une sorte de *stratégie
générale de la déconstruction*. Celle-ci devrait éviter à la fois
de *neutraliser* simplement les oppositions binaires de
la métaphysique et de *résider* simplement, en le confirmant,
dans le champ clos de ces oppositions.
Il faut donc avancer un double geste, selon une unité à la fois
systématique et comme d'elle-même écartée, une écriture
dédoublée, c'est-à-dire d'elle-même multipliée, ce que j'ai
appelé, dans 'La double séance', *une double science* : d'une
part, traverser une phase de *renversement*. J'insiste beaucoup
et sans cesse sur la nécessité de cette phase de renversement
qu'on a peut-être trop vite cherché à discréditer. Faire droit
à cette nécessité, c'est reconnaître que, dans une opposition
philosophique classique, nous n'avons pas affaire à la
coexistence pacifique d'un *vis-à-vis*, mais à une hiérarchie
violente. Un des deux termes commande l'autre
(axiologiquement, logiquement, etc.), occupe la hauteur.
Déconstruire l'opposition, c'est d'abord, à un moment donné,
renverser la hiérarchie. Négliger cette phase de renversement,
c'est oublier la structure conflictuelle et subordonnante de
l'opposition. C'est donc passer trop vite, sans garder aucune
prise sur l'opposition antérieure, à une *neutralisation* qui,
pratiquement, laisserait le champ antérieur en l'état, se priverait
de tout moyen d'y *intervenir* effectivement. On sait quels ont
toujours été les effets *pratiques* (en particulier *politiques*)
des passages sautant *immédiatement au-delà* des oppositions,
et des protestations dans la simple forme du *ni/ni*. Quand je
dis que cette phase est nécessaire, le mot de *phase* n'est
peut-être pas le plus rigoureux. Il ne s'agit pas ici d'une phase
chronologique, d'un moment donné ou d'une page qu'on
pourrait un jour tourner pour passer simplement à autre
chose. La nécessité de cette phase est structurelle et elle est
donc celle d'une analyse interminable : la hiérarchie de
l'opposition duelle se reconstitue toujours. À la différence
des auteurs dont on sait que la mort n'attend pas le décès,
le moment du renversement n'est jamais un temps mort.
Cela dit – et d'autre part –, s'en tenir à cette phase, c'est encore
opérer sur le terrain et à l'intérieur du système déconstruits.
Aussi faut-il, par cette écriture double, justement, stratifiée,
décalée et décalante, marquer l'écart entre l'inversion qui met
bas la hauteur, en déconstruit la généalogie sublimante ou
idéalisante, et l'émergence irruptive d'un nouveau 'concept',
concept de ce qui ne se laisse plus, ne s'est jamais laissé
comprendre dans le régime antérieur. Si cet écart, ce biface
ou ce biphasage, ne peut plus être inscrit que dans une écriture
bifide (et il vaut d'abord pour un nouveau concept d'écriture
qui *à la fois* provoque un renversement de la hiérarchie
parole/écriture, comme de tout son système attenant, *et* laisse
détonner une écriture à l'intérieur même de la parole,
désorganisant ainsi toute l'ordonnance reçue et envahissant
tout le champ), il ne peut plus se marquer que dans un champ
textuel que j'appellerai *groupé* : à la limite, il est impossible
d'y *faire le point* ; un texte unilinéaire, une *position* ponctuelle,
une opération signée d'un seul auteur sont par définition
incapables de pratiquer cet écart."

PRIMITIVISMES
ARCHAISMES
PRIMITIVISMS
ARCHAISMS

Robert Smithson, Spiral Jetty, 1970

PRIMITIVISMES/ARCHAÏSMES
Agnès de la Beaumelle

Deux temps cruciaux sont à retenir dans l'histoire riche et complexe des primitivismes et des archaïsmes – notions pour le moins sommaires – qui ont traversé tout le siècle, depuis les évocations "exotiques" héritées du XIXᵉ siècle jusqu'aux expressions métissées contemporaines comme graffiti et tags : le tournant des années 1920-1930 où s'est constitué le socle idéologique qui en a permis le raz de marée autour de l'idée mythique d'une enfance de l'art, et les années 1940, où sont apparues des procédures multiples qui produisent ou simulent des effets de régression, se réfèrent à des territoires interdits, explorent des langages autres, et engagent enfin à tous les excès archaïsants, dans un questionnement angoissé sur la réalité et sur la nature humaine.

"L'œil existe à l'état sauvage"
Libérés de siècles d'asservissement à une fonction mimétique, et déjà acquis aux répertoires formels venus d'un ailleurs sommairement appelé "art nègre", les artistes essaient autour des années 1920 de retrouver une pureté morale, une force spirituelle, une nouvelle base pour une mythologie de l'homme moderne. Cette soif d'une énergie nouvelle, à la fois extatique et mélancolique, s'appuie à la découverte fascinée et possessive des arts primitifs et préhistoriques à laquelle se conjugue une avancée sans précédent des études anthropologiques et ethnologiques menées par Lucien Lévy-Bruhl, Leo Frobenius et Marcel Mauss. Y participe tout autant cette jeune science qu'est la psychanalyse : les écrits de Freud enfin traduits, les premières études de Lacan sur le délire paranoïaque en 1933, les photographies des patientes hystériques prises par Charcot, pénètrent les rangs de l'avant-garde littéraire et artistique. Réflexion fondamentale sur les grands mythes de la société, mise à jour des abîmes de l'individu : tout est en termes de résurgences de l'instinct et de l'inconscient individuel ou collectif, où les pulsions sexuelles se mêlent aux objectifs révolutionnaires. Rêve, création artistique et poétique, mot d'esprit, délire paranoïaque, acte de folie, sont autant d'expressions premières de l'irrationnel. À ce vaste mouvement critique, qui signifie une défiance généralisée pour l'Histoire et la notion de progrès, se joint l'intérêt de tous – artistes, historiens d'art, ethnologues, psychanalystes – pour

PRIMITIVISMS/ARCHAISMS
Agnès de la Beaumelle

It is worth bearing in mind two crucial times in the rich and complex history of primitivisms and archaisms–sketchy notions to say the least–which have permeated the entire century, from the "exotic" evocations inherited from the 19th century to hybrid contemporary expressions such as graffiti and tags: the turning point of the 1920s and 1930s, when the ideological pedestal took shape which then paved the way for the tsunami around the mythical idea of an infancy of art; and the 1940s, when multiple procedures appeared, which produce or simulate effects of regression, make reference to banned territories, explore other languages, and last of all become involved in every manner of archaically oriented excess, in an anguished questioning about reality and human nature.

"The eye exists in the wild state"
Freed from centuries of submission to a mimetic function, and already won over to the formal repertories coming from somewhere else which is called for short "art nègre/negro art", in the 1920s or thereabouts artists tried to rediscover a moral purity, a spiritual force, and a new basis for a mythology of modern man. This thirst for a new energy, at once ecstatic and melancholic, was based on the fascinated and possessive discovery of the primitive and prehistoric arts, which went hand in hand with unprecedented advances in the anthropological and ethnological studies undertaken by Lucien Lévy Bruhl, Leo Frobenius and Marcel Mauss. Also playing a part in this was the young science of psychoanalysis: Freud's writings finally translated, Lacan's early studies on paranoid delirium in 1933, and the photographs of hysterical female patients taken by Charcot all made their way into the ranks of the literary and artistic avant-garde. There was a basic line of thinking about the great myths of society, updated by the abysses of the individual: everything was expressed in terms of resurgences of instinct and of the individual or collective unconscious, where sex drives were mixed with revolutionary goals. Dream, artistic and poetic creation, witticisms, paranoid delirium, and crazy acts are all so many primary expressions of the irrational. To this vast critical movement, signifying an overall defiance for History and the notion of progress is added the interest of one and all–artists, art historians, ethnologists, and psychoanalysts–in childhood and popular art. André Breton declared: "It is perhaps childhood that draws closest to 'real life'" (*Surrealist Manifesto*, 1924).

l'enfance et l'art populaire. André Breton déclare : "C'est peut-être l'enfance qui approche le plus de la 'vraie vie'" (*Manifeste du Surréalisme*, 1924). Pour Maurice Luquet, le dessin d'enfant s'approche de la gravure paléolithique et le dessin aurignacien de l'art des graffiti (*L'Art primitif*, 1927). Enfin, à la suite des membres du Grand Jeu, Georges Bataille propose en 1930 : "La grandeur humaine se rencontre là où l'enfantillage – ridicule ou charmant – coïncide avec l'obscure cruauté des adultes." Le rêve est celui du premier trait, celui d'une épiphanie de la ligne ; Joan Miró n'hésitera pas à formuler en 1928 : "L'art est en décadence depuis l'art des cavernes."

Si, avec les influences plastiques, le vent du retour à la création mythique, à la force originelle a d'abord soufflé chez les artistes expressionnistes d'Allemagne et de Russie, en France est mis en œuvre le mot d'ordre de la "remontée aux origines". "L'œil existe à l'état sauvage", avec ce magnifique incipit, André Breton invite à ouvrir les œillères de l'esprit à la vie secrète des formes, institue une attitude globale d'acquiescement à la vie, d'adhésion aux forces de l'inconscient ; foi absolue est donnée au pouvoir magique et révolutionnaire de l'art. L'image, ce "stupéfiant image" dénoncé par Louis Aragon dans *Le Paysan de Paris*, serait comme une empreinte, concept fondateur qui délaisse la main pour valider l'impact de données sous-jacentes : premier dessins automatiques d'André Masson, peintures de rêve de Miró, paysages intérieurs de Yves Tanguy, hallucinations paranoïaques peintes ou filmées de Salvador Dalí, pureté des "objets trouvés", fantômes d'objets des rayogrammes de Man Ray, etc. La conception d'un art magique s'esquisse là, telle que Breton en fera la synthèse en 1957. De son côté, Christian Zervos, ardent défenseur de la spiritualité des formes des arts archaïques auxquels il consacre nombre de pages dans sa revue *Cahiers d'art*, finira par déclarer en 1930 : "Il faut remonter aux origines [...], raconter l'homme." Enfin, une troisième voie "primitiviste", à la définition plus anthropologique, se dessine autour de Georges Bataille et de la revue *Documents*. Carl Einstein y vante le "néolithisme enfantin" de Arp, la "signification totémique" des animaux peints par Masson ; Michel Leiris admire la "mythologie si primitive" de Miró, salue dans les sculptures de Giacometti de "nouveaux fétiches". Dans une optique violemment anti-idéaliste qui connaîtra une fortune considérable, les champs "bas" de la régression y sont définis : le sale, le pourri, le scatologique, le criminel, l'abject, le morbide. Le concept matérialiste de l'informe est à l'œuvre et va façonner une grande part de notre modernité. On ne s'étonnera pas dès lors de l'intérêt de tous pour les formes de l'hybride, monstre métamorphique mi-humain mi-animal, et violemment sexuel, mobilisent l'imaginaire des artistes jusqu'à aujourd'hui : depuis les excroissances de Constantin Brancusi (*Princesse X*, 1916) ou de Hans Arp (*Concrétion humaine*, 1934), depuis les créatures gymnastes de Pablo Picasso et grotesques de Miró jusqu'aux êtres violemment érotiques de Dorothea Tanning et Louise Bourgeois. Fantômes, spectres, nés de la peur, prennent l'allure régressive de monstres préhistoriques (Max Ernst, *L'Ange du foyer*, 1937).

For Maurice Luquet, children's drawings were akin to paleolithic engraving and the Aurignacian drawing of the art of graffiti (*L'Art primitif*, 1927). Lastly, in the wake of the members of the Grand Jeu/Great Game, Georges Bataille proposed the following in 1928: "Human greatness occurs where infantile behaviour–be it ridiculous or delightful–overlaps with the obscure cruelty of adults". The dream has to do with the very first stroke, a revelation of the line; in 1927 Joan Miró would unhesitatingly declare: "Art has been decadent since cave art."

With these visual influences, the wind of return to mythical creation and primal force first blew among the Expressionist artists of Germany and Russia, while in France the password introduced had to do with "going back to your roots". "The eye exists in the wild state", with this magnificent incipit, André Breton invited people to open their blinkered minds to the secret life of forms, and introduced an overall attitude of acquiescence to life, of clinging to the forces of the unconscious; absolute faith is given to the magic and revolutionary power of art. The image, that "stupefying image" railed against by Louis Aragon, in *Le Paysan de Paris/The Peasant of Paris*, is like an imprint, a groundbreaking concept which foregoes the hand in order to validate the impact of underlying data: the early automatic drawings of André Masson, Miró's dream paintings, Yves Tanguy's interior landscapes, the painted and filmed paranoid hallucinations of Salvador Dalí, the purity of "found objects", ghosts of objects in Man Ray's rayogrammes, etc. The conception of a magic art is sketched out right here, just as Breton would sum it up in 1957. For his part, Christian Zervos, an ardent champion of the spirituality of the forms of archaic arts to which he devoted many pages in his magazine *Cahiers d'art*, would end up declaring in 1930: "We have to get back to our roots [...], and recount man." Lastly, a third "primitivist" way with a more anthropological definition was outlined around Georges Bataille and the magazine *Documents*. In it, Carl Einstein sang the praises of Arp's "childish neolithism", and the "totemic significance" of the animals painted by Masson; Michel Leiris admired the "oh so primitive mythology" of Miró, and greeted "new fetishes" in Giacometti's sculptures. From a violently anti-idealistic angle, which would enjoy considerable good fortune, the "low" or "base" fields of regression are duly defined: the dirty, the rotten, the scatological, the criminal, the abject, and the morbid. The materialist concept of the informe/shapeless is at work and would fashion a large part of our modernity. From here on, there would be nothing surprising about everyone's interest in forms of the hybrid, a half-human/half-animal, and violently sexual metamorphic monster, which have been mobilizing the imagination of artists right up to the present day: from the excrescences of Constantine Brancusi (*Princess X*, 1916) and Hans Arp (*Human Concretion*, 1934), and from the gymnastic creatures of Pablo Picasso and Miró's grotesques to the violently erotic beings of Dorothea Tanning and Louise Bourgeois. Ghosts, spectres, all born out of fear, take on the regressive look of prehistoric monsters (Max Ernst, *L'Ange du foyer/The Household Angel*, 1937).

Asphyxiante culture

La fin de la Seconde Guerre mondiale et la révélation de l'Holocauste ne s'étaient pas fait attendre pour que le sentiment de désastre, corporel et spirituel, conduise à aller au-delà d'un ressourcement vital par les voies du primitivisme, bien qu'un repliement de chacun aux sources de sa propre culture "sauvage" se marque fortement. C'est dans la nécessité d'un enfouissement de l'homme au plus profond de soi – "à la limite de l'infâme, du dégueulasse et du petit miracle", dira Dubuffet – que vont relever toutes les attitudes archaïsantes apparues en Europe et aux États-Unis entre 1940 et 1950. Devant la ruine des idéaux collectifs, ce sera autour de la solitude de l'individu et de son "êtreté", dira Antonin Artaud, que va se constituer une nouvelle mythologie. Ce glissement fondamental, de l'universel au particulier, de l'"héroïque" au quotidien, est signifié ici par le face à face ironique du "Mur" des collections d'André Breton, rue Fontaine, et de celui constitué par les *Boîtes d'archives* de Christian Boltanski : d'un coté le déploiement ostentatoire et ouvert de multiples présences tutélaires, de l'autre, une accumulation compulsive et mélancolique d'éléments personnels invisibles. Rejetant toute culture, cette "asphyxiante culture" pour un "réalisme absolu" et au profit d'un "art brut", dont il fonde la Compagnie en 1949, Jean Dubuffet fait figure de grand initiateur, tant en langage qu'en définition plastique. L'œuvre d'art – la sienne et bientôt celles des artistes de l'informel et de la matière (Fautrier, Fontana, Réquichot, Tapiès...) – se présente comme un agglomérat tellurique de résidus et de germes, dans une combinatoire désordonnée de substances indifférenciées et de tracés rudimentaires. Cette "célébration du sol" vu d'un regard vertical (et non plus horizontal), par lequel les "hautes pâtes" du magma se font "idéoplasties" de figures, érige bientôt l'œuvre en non-lieu de l'informe. Traversé de flux incontrôlés, ce non-lieu n'est pas sans s'approcher des peintures dionysiaques d'un Masson et des *drippings* d'un Jackson Pollock dansant autour de sa toile.

À ce renversement total, qui fait effet d'ensauvagement orchestré, répondent en écho le geste de martèlement graphique d'Artaud sur le "subjectile" du papier et, avec lui, la compulsion répétitive des glossolalies éructées : la définition d'un travail acté et exorcistique, la revendication du ratage, du gribouillis par lesquels le non-dit, le non-formé émergent comme signes premiers d'une parole, ouvrent des territoires jusque-là inexplorés. Ces expressions de cruauté trouveront par la suite de multiples résonances, auprès d'artistes transgressifs ou marginaux comme Arnulf Rainer ou Jean-Michel Basquiat.

Asphyxiating culture

It was not long after the end of the Second World War and the discovery of the holocaust that the feeling of disaster, both physical and spiritual, would lead to somewhere beyond a vital return to roots by way of the paths of primitivism, although there was a conspicuous withdrawal on the part of everyone into the sources of their own "wild" culture. All the archaically inclined attitudes emerging in Europe and the United States between 1940 and 1950 would stem from the need for a burial of man in his deepest recesses–"on the borderline of the infamous, the disgusting, and the small miracle", as Dubuffet would say. In front of the ruin of collective ideals, it is around the solitude of the individual and his "beingness", as Antonin Artaud would say, that a new mythology would spring up. This fundamental shift, from the universal to the particular, and from the "heroic" to the humdrum is here signified by the ironical clash between the "Wall" in André Breton's collections, in Rue Fontaine, and the wall formed by the *Boîtes d'archives/Archive Boxes* of Christian Boltanski: on the one hand the ostentatious and open deployment of many tutelary presences, and on the other, a compulsive and melancholic accumulation of invisible personal elements. By rejecting all culture, that "asphyxiating culture", in favour of an "absolute realism" and an "art brut", the Company of which he founded in 1949, Jean Dubuffet came across as a great initiator, as much in language as in visual definition. The work of art–his own and before long those of artists involved with the informal and with matter (Fautrier, Fontana, Réquichot, Tapiès...)–comes across as an earthly conglomerate of residue and seed, in a disorderly combination of undifferentiated substances and rudimentary outlines. This "celebration of the soil", seen with a vertical (and no longer horizontal) gaze, whereby the "lofty pastes of magma" become "ideoplasties" of figures, soon erects the work as a non-lieu of the *informe/formless*. Permeated by uncontrolled flows, this non-lieu can be likened to the Dionysiac paintings of an artist like Masson and the drip paintings of an artist like Jackson Pollock, dancing around his canvas.

This total reversal, which has the effect of orchestrated wildness, corresponds, echo-like, to Artaud's graphic hammering gesture on the "subjectile" of the paper and, with it, the repetitive compulsion of belched glossolalia: the definition of a work acted and exorcistic, the claim of failure and scribbling whereby the unsaid and the unformed emerge as early signs of a word, and open up hitherto unexplored territories. These expressions of cruelty would subsequently attract much reverberation, among transgressive and marginal artists like Arnulf Rainer and Jean-Michel Basquiat.

Translated in English by Simon Pleasance

Jackson Pollock, The Moon-Woman Cuts the Circle, 1943

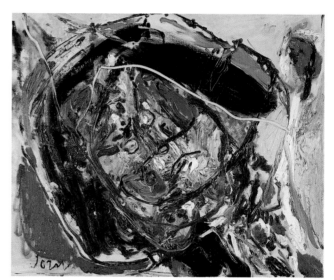

Asger Jorn, Femme du 5 octobre, 1958

Mario Merz, Girasole, 1960

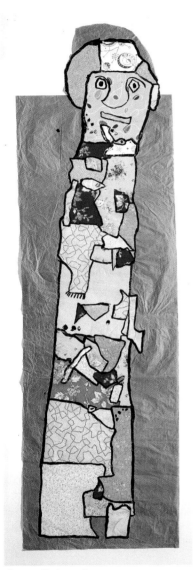

Gaston Chaissac, Personnages
aux cheveux verts, roses et blancs,
vers 1960-1962

Robert Combas, Mickey appartient à tout le monde, 1979

Pablo Picasso, Petite Fille sautant à la corde, 1950

Hans Hollein, Formation urbaine au-dessus de Vienne, 1960

Philip Guston, Ravine, 1979

Jean Fautrier, Femme douce, 1946

Jean Dubuffet, Le Voyageur sans boussole, 8 juillet 1952

Kazuo Shiraga, Chizensei-Kouseimao, 1960

Lucio Fontana, Concetto Spaziale, 1949

Reconstitution du mur de l'atelier qu'a occupé André Breton, rue Fontaine, à Paris, de 1922 à 1966

Page 91 : **Christian Boltanski**, Les Archives de Christian Boltanski 1965-1988, 1989

Diego Rivera, Les Vases communicants, 1938

Gilbert & George, Praying Garden, 1982

Gaetano Pesce, Sansone, 1980

Günter Brus, Menschenbeschwoerung, 1984

Antonin Artaud, Portrait de Jany de Ruy, 2 juillet 1947

Dorothea Tanning, De quel amour, 1970

Constantin Brancusi, Princesse X, 1915-1916

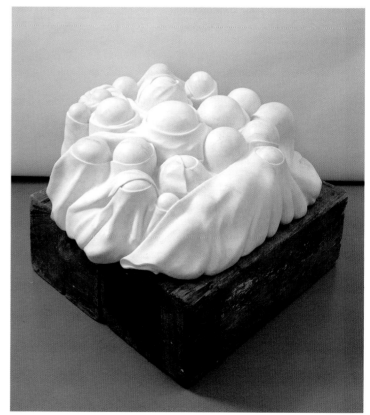

Louise Bourgeois, Cumul I, 1968

Pablo Picasso, L'Acrobate bleu, 1929

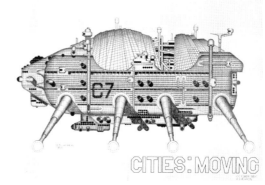

Archigram/Ron Herron, Walking City, 1964

Vincent Beaurin, Noli me tangere, 1994

Joan Miró, Personnage, 1934

Antonin Artaud,
Artaud le Mômo [1947],

dans *Œuvres complètes*, t. XII, Paris, Gallimard, 1974, p. 14-17.

L'esprit ancré,
vissé en moi
par la poussée
psycho-lubrique
du ciel
est celui qui pense
toute tentation,
tout désir,
toute inhibition.

o dedi
a dada orzoura
o dou zoura
a dada skizi

o kaya
o kaya pontoura
o ponoura
a pena
poni

C'est la toile d'araignée pentrale,
la poile onoure
d'ou-ou la voile,
la plaque anale d'anavou.

(Tu ne lui enlèves rien, dieu,
parce que c'est moi.
Tu ne m'as jamais rien enlevé de cet ordre.
Je l'écris ici pour la première fois,
je le trouve pour la première fois.)

Non la membrane de la voûte,
non le membre omis de ce foutre,
d'une déprédation issu,

mais une carne,
hors membrane,
hors de là où c'est dur ou mou.

Ja passée par le dur et mou,
étendue cette carne en paume,
tirée, tendue comme une paume
        de main
exsangue de se tenir raide,
noir, violette
de tendre au mou.

Mai quoi donc à la fin, toi, le fou ?

Moi ?

Cette langue entre quatre gencives,

Cette viande entre deux genoux
ce morceau de trou
pour les fous.

Mais justement pas pour les fous.
Pour les honnêtes,
que rabote un délire à roter partout,

et qui de ce rot
firent la feuille,

écoutez bien :
firent la feuille,

écoutez bien :
firent la feuille
du début des générations
dans la carne palmée de mes trous,
à moi.

Lesquels, et de quoi ces trous ?

D'âme, d'esprit, de moi, et d'être ;
mais à la place où l'on s'en fout,
père, mère, Artaud et itou.

Dans l'humus de la trame à roues,
dans l'humus soufflant de la trame
de ce vide,
entre dure et mou.

Noir, violet,
raide,
pleutre
et c'est tout.

Ce qui veut dire qu'il y a un os,
où
        dieu
s'est mis sur le poète,
pour lui saccager l'ingestion
de ses vers,
tels des pets de tête
qu'il lui soutire par le con,

qu'il lui soutirerait du fond des âges,
jusqu'au fond de son trou de con,

et ce n'est pas un tour de con
qu'il lui joue de cette manière,
c'est le tour de toute la terre
contre qui a des couilles
au con.

Et si on ne comprend pas l'image,
– et c'est ce que je vous entends dire
en rond,
que vous ne comprenez pas l'image
qui est au fond
de mon trou de con, –

c'est que vous ignorez le fond,
non pas des choses,
mais de mon con
à moi,
bien que depuis le fond des âges
vous y clapotiez tous en rond
comme on clabaude un aliénage,
complote à mort une incarcération.

ge re ghi
regheghi
geghena
e reghena
a gegha
riri

Entre le cu et la chemise,
entre le foutre et l'infra-mise,
entre le membre et le faux bond,
entre la membrane et la lame,
entre la latte et le plafond,
entre le sperme et l'explosion,
tre l'arête et tre le limon,

entre le cu et la main mise
        de tous
sur la trappe à haute pression
d'un râle d'éjaculation
n'est pas un point
ni une pierre

éclatée morte au pied d'un bond

ni le membre coupé d'une âme
(l'âme n'est plus qu'un vieux dicton)
mais l'atterrante suspension
d'un souffle d'aliénation

violé, tondu, pompé à fond
par toute l'insolente racaille

Michel Foucault, "Le cercle anthropologique"
dans *Histoire de la folie l'âge classique* [1961],
Paris, Gallimard, 1988, p. 554-555.

"Après Sade et Goya, et depuis eux, la déraison appartient
à ce qu'il y a de décisif, pour le monde moderne,
en toute œuvre : c'est-à-dire à ce que toute œuvre comporte
de meurtrier et de contraignant.
La folie du Tasse, la mélancolie de Swift, le délire de
Rousseau appartenaient à leurs œuvres, tout comme
ces œuvres mêmes leur appartenaient. Ici dans les textes,
là dans ces vies d'hommes, la même violence parlait,
ou la même amertume ; des visions certainement
s'échangeaient ; langage et délire s'entrelaçaient. Mais il y
a plus : l'œuvre et la folie étaient, dans l'expérience
classique, liées plus profondément et à un autre niveau :
paradoxalement là où elles se limitaient l'une l'autre.
Car il existait une région où la folie contestait l'œuvre,
la réduisait ironiquement, faisait de son paysage imaginaire
un monde pathologique de fantasmes ; ce langage n'était
point œuvre qui était délire. Et inversement, le délire
s'arrachait à sa maigre vérité de folie, s'il était attesté
comme œuvre. Mais dans cette contestation même, il n'y
avait pas réduction de l'une par l'autre, mais plutôt,
(rappelons Montaigne), découverte de l'incertitude centrale
où naît l'œuvre, au moment où elle cesse de naître, pour
être vraiment œuvre. Dans cet affrontement, dont le Tasse
ou Swif étaient les témoins après Lucrèce – et qu'on
essayait en vain de répartir en intervalles lucides et
en crises – se découvrait une distance où la vérité même
de l'œuvre fait problème : est-elle folie ou œuvre ?
inspiration ou fantasme ? bavardage spontané des mots
ou origine pure d'un langage ? Sa vérité doit-elle être
prélevée avant même sa naissance sur la pauvre vérité
des hommes, ou découverte, bien au-delà de son origine,
dans l'être qu'elle présume ? La folie de l'écrivain, c'était,
pour les autres, la chance de voir naître, renaître sans cesse,
dans les découragements de la répétition et de la maladie,
la vérité de l'œuvre.
La folie de Nietzsche, la folie de Van Gogh ou celle d'Artaud,
appartiennent à leur œuvre, ni plus ni moins profondément
peut-être, mais sur un tout autre monde. La fréquence
dans le monde moderne de ces œuvres qui éclatent dans
la folie ne prouve rien sans doute sur la raison de ce monde,
sur le sens de ces œuvres, ni même sur les rapports noués
et dénoués entre le monde réel et les artistes qui ont produit
les œuvres. Cette fréquence, pourtant, il faut la prendre
au sérieux, comme l'insistance d'une question ; depuis
Hölderlin et Nerval, le nombre des écrivains, peintres,
musiciens, qui ont 'sombré' dans la folie s'est multiplié ;
mais ne nous y trompons pas ; entre la folie et l'œuvre,
il n'y a pas eu accommodement, échange plus constant,
ni communication des langages ; leur affrontement
est bien plus périlleux qu'autrefois , et leur contestation
maintenant ne pardonne pas ; leur jeu est de vie
et de mort."

SEXE
SEX

John De Andrea, Le Couple, 1971

SEXE
Camille Morineau

Ouvrir, pénétrer, regarder : l'art du xxᵉ siècle ainsi que sa littérature ont montré combien les trois termes s'équivalent, combien l'œil et le désir ne se contentent pas de regarder le sexe et de le vouloir, mais sont regardés par lui, absorbés par lui, voire finalement détruits. La libération du regard, puis de la femme, enfin du corps et des pratiques sexuelles, avec ensuite la mise à jour de leur complexité (homosexualité, bisexualité, transsexualité, sadomasochisme), font du sexe au xxᵉ siècle un terrain exploratoire permanent de formes, de registres, de gestes, mais aussi un point d'achoppement pour la pensée, un piège mortel pour le regard. De Sigmund Freud à Georges Bataille, de Charles Baudelaire jusqu'à Hervé Guibert, de la syphilis au sida, réalité et réflexion se renforcent pour installer au cœur du xxᵉ siècle un lien indiscutable entre le sexe et la mort.

Au moment de la "petite mort", la pensée s'arrête. Peu importe finalement que l'instant dure peu ou toujours, que la pensée et le corps unis se libèrent alors, ou disparaissent : c'est dans l'indétermination de ce vertige, dans le risque essentiel que prend celui qui regarde, celui qui jouit, que l'art du xxᵉ siècle n'a cessé de puiser une grande partie de son énergie créatrice. La femme artiste ou romancière devenant à son tour un œil qui regarde et pénètre, et l'homme, pour un autre homme, l'objet que le désir déforme, engendrent dans le dernier quart du siècle et à l'aube du xxıᵉ une seconde explosion. À chacun désormais de vivre, à l'image de Georges Bataille, son "histoire de l'œil", a chacun de redéfinir ce "sexe" que les recherches médicales avouent leur incapacité à différencier, à chacun de réinventer le vertige de la transgression sur fond d'une pornographie omniprésente, d'une banalisation médiatique de la perversité.

SEX
Camille Morineau

Opening, penetrating, looking: the art of the 20th century along with its literature have shown to what extent these three terms equivalate to each other, and to what extent eye and desire are not content just to look at sex, and want it, but how they in turn are looked at by it, absorbed by it, and even eventually destroyed. The liberation of the gaze, then of women, and lastly of the body and sexual pratices, with, subsequently, the updating of their complexity (homosexuality, bisexuality, transsexuality, sado-masochism) all make sex in the 20th century an on-going area of exploration for forms, styles, and gestures, as well as a stumbling block for thought, a lethal trap for the eye. From Sigmund Freud to Georges Bataille, from Charles Baudelaire to Hervé Guibert, and from syphilis to Aids, reality and reflection bolster one another in order to install at the heart of the 20th century an indisputable link between sex and death.

At the moment of the "petite mort"/"lesser death", thought ceases. In the end of the day, it matters little whether the instant lasts for a short time or forever, and whether thought and body united are then freed, or disappear: it is in the indeterminacy of this giddiness, in the essential risk taken by the onlooker, the person who is having pleasure, that 20th century art has continually derived a great part of its creative energy. The woman artist or novelist becomes in turn an eye looking and penetrating, and man, for another man, becomes the object which is deformed by desire; in the last quarter of the 20th century and at the dawn of the 21st century, these figures have given rise to a second explosion. Henceforth, in the image of Georges Bataille, it is up to everyone to live their "history of the eye", it is up to everyone to redefine this "sex" which medical research admits itself incapable of differentiating, and it is up to everyone to reinvent the giddiness of transgression against a backdrop of ubiquitous pornography, and a media-driven trivialization of perversity.

Ce n'est pas un hasard si la prostituée et la mariée, deux figures emblématiques de la femme, mais surtout deux faces du désir masculin – la femme achetée, souillée, offerte, urbaine *versus* la femme aimée, vierge, promise, intime – ont donné lieu à deux œuvres emblématiques de l'art moderne et de ses capacités à la fois d'autodestruction et de recréation. *Les Demoiselles d'Avignon* (1907) de Pablo Picasso, né du souvenir barcelonais de l'artiste de prostituées debout à l'entrée d'une maison close de la Carrer d'Avinyó, rue chaude du Barrio Goticó, inaugurent par leur brutalité à la fois les audaces du cubisme et les écarts de la figuration tout au long du siècle. À ce "bordel philosophique" selon Guillaume Apollinaire répond quelques années plus tard, en 1912, le "mariage philosophique" de la Vierge (selon la symbolique alchimiste, la Vierge dépouillée de ses vêtements constitue le symbole du matériau alchimique) réinterprété par Marcel Duchamp dans *La Mariée mise à nu par ses célibataires, même*. Ce dessin constituant la première esquisse du *Grand Verre* (1923), point d'orgue du dadaïsme et de sa remise en cause profonde des pratiques de l'art.

Dès le début du siècle, sujet obligé auquel chaque avant-garde ajoutera sa spécificité, le corps dénudé de la putain proclame la révolte de l'artiste moderne contre le nu académique, et, par là, contre toute forme de règle, de hiérarchie, de tabou. Au moins autant que la libération du corps, la prostituée est le lieu de libération du regard. C'est Édouard Manet qui ouvre le bal avec sa scandaleuse *Olympia* (1863), ainsi qu'avec son nu incongru du *Déjeuner sur l'herbe* (1862). L'interprétation psychanalytique de Victor Burgin, sociologique de Larry Rivers, de la première, la version contemporaine proposée par Alain Jacquet, de la seconde, témoignent de la force du sujet. František Kupka consacre deux ans (1908-1910) aux *Gigolettes* ; à la suite de Toulouse-Lautrec et de Degas, Kees Van Dongen en fait son sujet récurrent, ainsi qu'Otto Dix qui y ajoute les accents grinçants de la Nouvelle Objectivité. Comme ce dernier, Georges Rouault y trouve le moyen d'explorer la déchéance du monde, tandis qu'André Derain en profite pour exalter les couleurs du fauvisme, et Michel Larionov pour célébrer la vie contemporaine et son dynamisme au sein du rayonnisme. L'expressionnisme allemand (Emil Nolde, Ernst Luwig Kirchner) porte un nouveau regard, intime, primitiviste ou proche de la nature sur le corps féminin.

Avec le développement de la photographie contemporaine, la prostitution masculine (Pierre Guyotat, *Prostitution*) développe le sujet sous un jour nouveau, trouvant en particulier dans l'inversion des sexes (Pierre Molinier, Diane Arbus), et le travestissement spectaculaire des *Drag-Queens* (Mapplethorpe, Ed Paschke, Andy Warhol, Jack Smith), le moyen d'exprimer au mieux une postmodernité travaillée par une nouvelle imagerie du corps masculin. Inversement, la femme qui s'offre volontairement reprend le contrôle du regard, ainsi que du discours sur le sexe (de l'*Histoire d'O* de Pauline Réage à *La Vie sexuelle de Catherine M*. de Catherine Millet).

It is no coincidence that the prostitute and the bride, two emblematic womanly figures, but above all two aspects of male desire–the sullied woman bought and offered, and urban, versus the beloved virginal woman, offering promise and intimacy–which have produced two emblematic works of modern art and its capacity for self-destruction and re-creation at one and the same time. Pablo Picasso's *Les Desmoiselles d'Avignon* (1907), stemming from the artist's Barcelona memories of prostitutes standing at the entrance to a brothel in the Carrer d'Avinyó, in the red light district of the Barrio Goticó, ushers in by way of their brutality both the daring of Cubism and the discrepancies of figuration throughout the century. A few years later, in 1912, the response to this "philosophical brothel", according to Guillaume Apollinaire, was the "philosophical wedding" of the Virgin Mary (according to alchemical symbolism the Virgin Mary stripped of her clothing represents the symbol of alchemical material) reinterpreted by Marcel Duchamp in *The Bride Stripped by Her Bachelors, Even*. This drawing was the first sketch for the *Large Glass* (1923), high point of Dadaism and its far-reaching challenge to artistic practices.

At the beginning of the century, the denuded body of the whore–an obligatory subject to which each avant-garde would add its own specific two cent's worth–proclaims the revolt of the modern artist against the academic nude, and, thereby, against all forms of rules, hierarchies, and taboos. At least every bit as much as the liberation of the body, the prostitute is the site of the liberation of the eye. It was Edouard Manet who started things off in this direction with his scandalous *Olympia* (1863), as well as his incongruous nude in *Le Déjeuner sur l'herbe* (1862). The psychoanalytical interpretation of Victor Burgin and the sociological one made by Larry Rivers, of the former, and the contemporary version proposed by Alain Jacquet, of the latter, attests to the power of the subject. František Kupka devoted two years (1908-1910) to *Les Gigolettes*; in the wake of Toulouse-Lautrec and Degas, Kees Van Dogen made this his recurrent subject, as did Otto Dix who added to it the sardonic emphases of the New Objectivity (Neue Sachlichkeit) movement. Like this latter, Georges Rouault here found a way of exploring the decline of the world, while André Derain made the most of it to glorify the colours of Fauvism, and Michel Larionov celebrated life and its dynamism within the bounds of Rayonnism. In it, German Expressionism (Emile Nolde, Ernst Ludwig Kirchner) cast a new eye, at once intimate, primitivist and close to nature over the female body.

With the development of contemporary photography, male prostitution (Pierre Guyotat, *Prostitution*) develops the subject in a new light, finding in particular in the reversal of the sexes (Pierre Molinier, Diane Arbus), and the spectacular cross dressing of *The Drag-Queens* (Mapplethorpe, Ed Paschke, Andy Warhol, Jack Smith), a way of best expressing a postmodernity exercise by a new imagery of the male body. Conversely, the woman offering herself voluntarily reassumes control of the eye, as well as of the discourse on sex (from Pauline Réage's *Histoire d'O* to Catherine Millet's *La Vie sexuelle de Catherine M*.).

Ainsi lorsque la femme traite elle-même du thème de la mariée, c'est pour annoncer la fin d'une domination masculine et annoncer la règle d'un matriarcat, comme Niki de Saint Phalle ou comme Sylvie Blocher, offrir une critique acide des postulats machistes de *La Mariée* de Duchamp. Les deux sexes s'accordent sur un point : ni l'amour ni le couple ne sont plus de mise. Jim Dine et John Chamberlain respectivement brouillent et écrasent, aussi littéralement que possible, le sentimentalisme. John De Andrea nous confronte avec la pathétique incarnation d'un Adam et d'une Ève qui n'auraient jamais connu le Paradis.

Définitivement perdu au xixe siècle, le paradis réapparaît en effet au xxe siècle sous la forme d'une inversion : le monde est un enfer où chaque artiste est libre de décrire ses propres fantasmes sexuels, assimilés à autant de contre-utopies. La transgression devient l'acte créateur le plus primitif : succulente et spectaculaire trivialité érotique chez Picasso, dénaturation et castration rédemptrices chez Tetsumi Kudo, apologie rituelle de la souffrance chez les actionnistes viennois (Otto Muehl, Rudolph Schwarzkogler, Günter Brus). Devenue avec le surréalisme le moyen le plus efficace de décrypter un monde moderne irrationnel et violent, la sexualité devient par là même un langage politique, le seul qui lui reste pour représenter ses relations avec le monde. L'œuvre de Salvador Dalí est au centre de cette inversion : "Guillaume Tell, c'est son père", dit-il ; on a vu aussi dans cet homme au sexe dressé, brandissant un ciseau, l'évocation tout à la fois de Lénine et d'André Breton.

Avec l'opposition mariée/prostituée, une autre dialectique fondamentale se révèle : les deux faces d'un même regard, à la fois pénétrant et pénétré, criminel et sacrifié, jouisseur et expiatoire, celui de l'artiste au xxe siècle. La crucifixion comme jouissance est l'ultime sacrilège. Quant au voyeurisme, sa violence n'a d'égal que l'impuissance qu'il révèle : *Le Viol* (1945) de René Magritte transforme le corps en visage, l'artiste en criminel. La violence est d'autant plus grande que la femme est à peine pubère (Balthus), que c'est l'épouse qui est offerte (Pierre Klossowski), que le regard est répétitif, mécanique, hallucinatoire (Man Ray, Hans Bellmer, Nobuyoshi Araki). Regarder ce qui ne doit pas l'être, montrer ce qui ne peut être vu est un sacrilège à la fois douloureux et jubilatoire : la *Pointe à l'œil* (1932) d'un côté, l'*Objet désagréable, à jeter* (1931) de l'autre d'Alberto Giacometti résument les deux faces de cette blessure que le désir inflige au regard, et que l'artiste moderne subit comme un calvaire.

So when a woman herself deals with the theme of the bride, it is to announce the end of a form of male domination and announce the rule of a matriarchate, like Niki de Saint Phalle and Sylvie Blocher, and offer a biting critique of the macho postulates of Duchamp's Bride. The two sexes are agreed on one point: neither love nor the couple are any longer the target. Jim Dyne and John Chamberlain respectively blur and crush sentimentalism as literally as possible. John De Andrea confronts us with the pathetic embodiment of an Adam and an Eve who would never have known Paradise.

Paradise was lost for good in the 19th century, but then actually reappeared in the 20th century in the form of a reversal: the world is a hell in which each artist is free to describe his own sexual fantasies, likened to as many counter-utopias. Transgression becomes the most primitive of creative acts: juicy and spectacular erotic triviality in Picasso's work, redeeming denaturation and castration with Tetsumi Kudo, and a ritual apology for suffering among the Viennese Actionists (Otto Muelh, Rudolph Schwarzkogler, Günter Brus). Having become, together with Surrealism, the most effective way of deciphering an irrational and violent modern world, sexuality thereby becomes a political language, the only one left to represent its relations with the world. The work of Salvador Dalí lies at the hub of this reversal: "William Tell is his father", he said; in this man with his erect organ, brandishing a pair of scissors, we have also seen the simultaneous evocation of Lenin and André Breton.

With the bride/prostitute contrast, another basic dialectic comes to the fore: the two sides of one and the same gaze, at once penetrating and penetrated, criminal and sacrificed, pleasure–seeking and expiatory, the gaze of the artist in the 20th century. Crucifixion as enjoyment is the ultimate sacrilege. As for voyeurism, the only thing equalling its violence is the impotence it reveals: Rene Magritte's *Le Viol/The Rape* (1945) transforms the body into a face, and the artist into a criminal. The violence is all the greater because the woman is barely pubescent (Balthus), because it is the wife who is offered (Pierre Klossowski) and the gaze is repetitive, mechanical, and hallucinatory (Man Ray, Hans Bellmer, Nobuyoshi Araki). Looking at things that should not be, and showing what cannot be seen is a sacrilege that is at once painful and joyous: the *Pointe à l'œil* (1932), on the one hand, and Alberto Giacometti's *Objet désagréable à jeter* (1931), on the other, sum up the two sides of this wound which desire inflicts upon the eye, and which the modern artist suffers like a calvary.

Translated in English by Simon Pleasance

Niki de Saint Phalle, La Mariée, 1963

John Chamberlain, The Bride, 1988

Robert Doisneau, La Mariée sur le tape-cul,
Joinville, chez Gégène, 1947

Otto Dix, Erinnerung an die Spielgelsäle von Brüssel, 1920

Germaine Krull, La Môme bijou, vers 1932

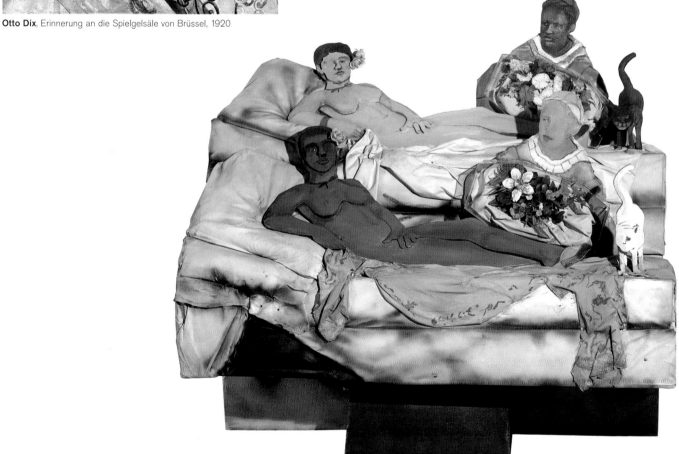

Larry Rivers, I Like Olympia in Blackface, 1970

Balthus, Alice, 1933

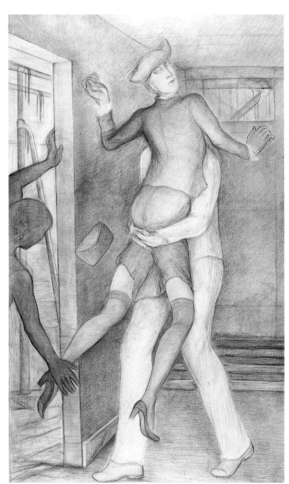

Pierre Klossowski, Descente au sous-sol, 1978

Hans Bellmer, Die Puppe, 1949

Nobuyoshi Araki, Sans titre, vers 1985

Ed Paschke, Joella, 1973

Pablo Picasso, La Pisseuse, 1965

Salvador Dalí, Guillaume Tell, 1930

Jack Smith, Flaming Creatures, 1963

Tetsumi Kudo, Pollution, cultivation, nouvelle écologie, 1970-1971

Alfred Hrdlicka, Dankgottesdienst in St Stephan, und Folterung des Drei Knechte, 1983

Joël-Peter Witkin, Christ in Glory, 1982

Peter Saul, Bewtiful & Stwong, 1971

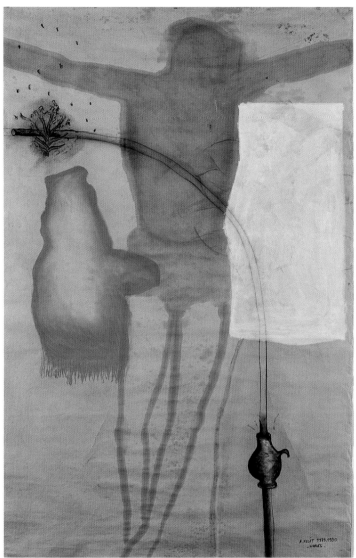

Jean-Michel Alberola, Étudier le corps du Christ, 1989-1990

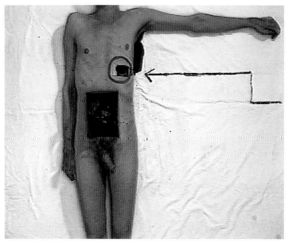

Hermann Nitsch, Das Orgien Mysterien Theater : 12. Aktion, 1965/1988

Pierre Guyotat, *Prostitution,*
Paris, Gallimard, 1975, p. 9-10.

"['debout, la bouch' !, j'ai b'soin !'] ['.., te m'veux, m'sieur
l'homm' ?' – 'j'vas t'trequer au bourrier !' – 'j't' déslip', m'sieur
l'homm' ?' – 'oua.., tir'-moi l'zob du jeans a j'vas t'triquer !'
– 'te peux m'trequer en sall', m'sieur l'homm' !' – 'oua.., put' !,
'te veux m'piéger la pin' !' – 'me, j'veux qu'te m'l'encul' chef,
m'sieur l'homm', a qu'ton gros poil de couill' m'étrangl'
l'bouquet !.., mets !.., mets !' – 'mlih !.., mlih !, porq'qu't'se
hâtée qu'j'te matt' l'chaloup' !' – 'cheï !, l'homm' ! ma ia
des bourr' qu'viann't sonder les bourriers !, a en sall' j'peux
t'désliper tot a j'm'align' mon mou d'triqu' à des enculs
qu'diapré, sono, arôm' coups d'air, t'renforç't la triqu' !..
a te peux chier, m'sieur l'homm', ç'a por reluir' maxi !.., chouf
ç'quartier d'fess' slipée qu's'coll' en lèvr' à la vitr' ! a ça de
pogn' baguée qu'lui conchie croix le blanc !, ç'a la blond'
qu's'amadoue Hamidou, un commis d'auj' qu' s'a just' libéré
des Pèr' Blancs !.., a chouf ces 2 pisseux qu'fray't leur afro se
tant qu'l'gros nu, l'Rabia, leur suç' l'bouquet simultané, au cul
à cul, triaplaill' à taill' cloûtée Rica !' – 'e s'suç' ça qu's'jeans'
à cru !' – 'ç'a qu'au 8 bis qu'les macs refoul't les non slipés !,
a porqu' qu'j'vas m'renâcler d'liacher à jeans tot ça qu'j' m'
suç' aux slipés !' – l'gros nu e s'a l'vié d'bouch' just' épais pour
s'suçer 3 culs en bott' !, e trequ' les 2 rewels !, a l'gros leur
tiant l'bandat dans ses poings rouj' !' – 'ç'gros nu e sert ne
d'cul ne d'vié, ma comm' suçeuz', a tireuz' d'chié, e fat extra !'
– 'oua, oua.., a ç't'gross' velue que s'chiarj' le gros frisé à dos,
ç'a à vendr' ?' –'.., aâandkoum chî hânoût felbelad ?.., aâamel
hâd elkhodma ou terbehoû elfeloûs ?.., ç'a qu'à triquer, l'v'lu !,
a mon mac maîtr' e s'l'gard' en mèr' port l'hoirie put' que veut
laisser à not' bell' blond' !... ma, m'sieur, o qu's'vend du vié, ia
des gross' v'lus idem qu'attend't un maît' !.., j'a chouf, m'sieur
l'homm', d'ces gross' velues crouill' o ibèr' o négros o rewels
que s'noiz't, aux enculoirs, apras testée, feutr', jeans a vest' a
slip a espadrill' qu'l'mac s'a humanisé leur cuir por transiter
la rue ! les macs, e s'jouiss't en pogn' de leurs tendrons
à chouf tot ça d'filaments frais qu'ballot' à l'écarté velu !"

Georges Bataille, *L'Érotisme,*
Paris, Les Éditions de Minuit, " Arguments ", 1957, p. 17-18.

"De l'érotisme, il est possible de dire qu'il est l'approbation de
la vie jusque dans la mort. À proprement parler, ce n'est pas
une définition, mais je pense que cette formule donne le sens
de l'érotisme mieux qu'une autre. S'il s'agissait de définition
précise, il faudrait certainement partir de l'activité sexuelle
de reproduction dont l'érotisme est une forme particulière.
L'activité sexuelle de reproduction est commune aux animaux
sexués et aux hommes, mais apparemment les hommes seuls
ont fait de leur activité sexuelle une activité érotique, ce qui
différencie l'érotisme et l'activité sexuelle simple étant
une recherche psychologique indépendante de la fin naturelle
donnée dans la reproduction et dans le souci des enfants.
De cette définition élémentaire, je reviens d'ailleurs
immédiatement à la formule que j'ai proposée en premier
lieu, selon laquelle l'érotisme est l'approbation de la vie
jusque dans la mort. En effet, bien que l'activité érotique soit
d'abord une exubérance de la vie, l'objet de cette recherche
psychologique, indépendante, comme je l'ai dit, du souci de
reproduction de la vie, n'est pas étranger à la mort. Il y a là
un paradoxe si grand que, sans attendre davantage, j'essaierai
de donner un semblant de raison d'être à mon affirmation
par les deux citations suivantes :
*'Le secret n'est malheureusement que trop sûr, observe Sade,
et il n'y a pas un libertin un peu ancré dans le vice qui ne
sache combien le meurtre a d'empire sur les sens ...'*
Le même écrit cette phrase plus singulière :
*'Il n'est pas de meilleur moyen pour se familiariser avec
la mort que de l'allier à une idée libertine.'*"

GUERRE
WAR

Annette Messager, Les Piques, 1992-1993

GUERRE
Alice Fleury

"La guerre ? Mais oui… Notre seul espoir, notre raison de vivre et notre seule volonté… Oui, la Guerre ! Contre vous qui mourrez trop lentement et contre tous les morts qui encombrent nos chemins[1]." Le désir de provocation n'est pas l'unique principe qui préside à cette apologie débridée de la guerre prononcée par Marinetti. Le *Manifeste Futuriste* (1909) envisage celle-ci comme source de progrès – "seule hygiène du monde[2]" –, comme le moyen de faire table rase du passé, dans la perspective révolutionnaire d'un changement radical de l'homme et de la société. La violence inouïe de la Grande Guerre se chargera de rectifier ce point de vue. Marqué par les conflits les plus brutaux, par la barbarie la plus inconcevable, le xxe siècle est celui qui intègre le plus profondément le questionnement sur l'histoire. Durant tout le siècle, un double mouvement s'affirme : d'une part l'extraordinaire prise en charge de l'histoire par l'art, véritable "instrument de guerre offensive et défensive contre l'ennemi[3]", d'autre part le bouleversement radical de la forme, prise dans un processus irréversible de déconstruction et de renouvellement.

Révolte
L'expérience de la guerre est un choc déterminant qui va cristalliser l'orientation artistique de certains artistes, comme Fernand Léger ou Otto Dix. Témoignages d'un conflit qui les dépasse, les dessins qu'ils réalisent sur le front pendant la Première Guerre mondiale sont l'image fugace du quotidien des soldats. Ni pathétiques, ni expressionnistes, les dessins de Léger suggèrent, dans un style cubiste, une destruction de l'individu par la représentation d'un homme déshumanisé, métamorphosé en machine, réduit au rang d'ouvrier anonyme de la grande boucherie rationalisée. À l'inverse de Dix, qui pousse jusqu'à l'intolérable l'effroi et le funèbre en accentuant les détails, Léger rend compte de l'aspect atrocement moderne de la guerre : "Il y a dans ce Verdun des sujets tout à fait inattendus et bien faits pour réjouir mon âme de cubiste[4]." Ces croquis de Léger et de Dix constituent moins de simples témoignages historiques qu'une réflexion sur les moyens de représenter une réalité contemporaine et posent directement la question de l'insupportable.
Profondément marqué par cette première expérience, le xxe siècle sera celui de l'homme brisé par la guerre, luttant désespérément contre l'adversité mais livré inéluctablement à un sort tragique. Les figures de Miró (*Femme en révolte*, 1938) ou de Julio Gonzáles (*Masque Montserrat criant*, 1938-1939) incarnent, dans le contexte de la guerre civile espagnole, l'être humain en proie à l'agression et à la répression. Le corps s'étire, se distend chez Miró, alors qu'à la même époque, Picasso réagit à la guerre en focalisant sa

WAR
Alice Fleury

"War? But of course…Our only hope, our reason for living and our only wish… Yes, War! Against you who die too slowly and against all the dead who get in our way[1]." A desire to provoke was not the sole principle governing this unleashed apology for war pronounced by Marinetti. The *Futurist Manifesto* (1909) envisaged war as a source of progress–"the only hygiene in the world[2]"–as a way of wiping the slate of the past clean, with the revolutionary prospect of a radical change coming over man and society. The incredible violence of the Great War would be responsible for rectifying this viewpoint.
The 20th century, marked by the most brutal of conflicts and the most inconceivable barbarism, is the century which most profoundly incorporates our questioning about history. Throughout the century, there was a twofold movement: on the one hand, the extraordinary takeover of history by art, nothing less than "an offensive and defensive instrument of war against the enemy[3]", on the other hand, the radical upheaval of form, caught in an irreversible process of deconstruction and renewal.

Revolt
The experience of war was a decisive shock which would crystallize the artistic orientation of certain artists such as Fernand Léger and Otto Dix. As evidence of a conflict which exceeded them, the drawings they produced on the front during the First World War were fleeting images of the daily life of soldiers. Léger's drawings, which were neither pathetic nor expressionist, suggest, in a Cubist style, a destruction of the individual by the representation of a man dehumanized, turned into a machine, and reduced to the rank of anonymous worker in the great rationalized butchery. Unlike Dix, who pushed terror and death to an intolerable point by emphasizing their details, Léger recorded the atrociously modern aspect of war: "In this Verdun, there are altogether unexpected and well produced subjects to gladden my Cubist's soul[4]." These sketches by Léger and Dix are less simple historical records than a reflection on the methods of depicting a contemporary reality, and as such they directly raise the issue of the unbearable.
The 20th century, which was deeply marked by that initial experience, was the century of man broken by war, desperately struggling against adversity but in the inexorable hands of a tragic fate. Miró's figures (*Woman in Revolt*, 1938) and those of Julio Gonzáles (*Montserrat Mask Shouting*, 1938-1939) embody the human being as prey to aggression and repression, in the context of the Spanish Civil War. In Miró's work the body is stretched and distended, whereas, in the very same period, Picasso reacted to war by focusing his pain and revolt on the face and body of the beloved woman.

douleur et sa révolte sur le visage et le corps de la femme aimée. Déformations douloureuses des figures, distorsions des formes jusqu'au monstrueux, recherche de l'essentiel : le monde entre en convulsions. Dans la continuité d'un Jacques Callot (*Grandes Misères de la guerre*, 1633) ou d'un Francisco Goya (*Désastres de la guerre*, 1810-1820), l'œuvre est le lieu d'un questionnement et d'une critique inlassables de l'histoire. À la représentation héroïque du soldat, à l'image glorieuse de la violence s'est substituée la vision désespérée d'un homme fragmenté et autodestructeur. On assiste à l'effondrement de la morale attachée jusqu'au XIXe siècle à l'idée de guerre ; morale voulant que celle-ci, en dépit de sa sauvagerie, ait une fonction politique, mais aussi paradoxalement, réparatrice et salvatrice.

La confrontation avec l'histoire et les évènements politiques peut aussi s'appréhender sur un mode parodique. Réponses de Victor Brauner à la montée du nazisme, les portraits-charges d'Hitler (1934) et de Hindenburg (1935-1936) fonctionnent sur la dimension grotesque, la caricature et la dérision du pouvoir, fidèles à la tradition d'Alfred Jarry. Chez Annette Messager (*Les Piques*, 1992-1993), des animaux empaillés, des objets trouvés ou fabriqués sont empalés sur de longs dards métalliques, allusion amusée et distanciée à l'épisode révolutionnaire. Avec *Les Mots de Mai 1968* (1998) de Philippe Cazal, vingt slogans fragmentaires sont donnés à déchiffrer, jouant ainsi sur la remémoration et le pouvoir évocateur des mots.

Porteuse d'un immense espoir, la déflagration révolutionnaire donne un sens aux révoltes artistiques. En Russie, de nombreux artistes (Kasimir Malevitch, Vladimir Tatline...) prennent une part active à la Révolution, voulant contribuer ainsi au renouveau de la vie artistique et construire une Russie nouvelle. Dans les années 1960-1970, l'engagement contestataire et révolutionnaire est omniprésent chez des artistes qui se mobilisent et se politisent face à la multiplication des crises politiques, comme chez le jeune Immendorff, en révolte contre la sociale démocratie bourgeoise, chez Gérard Fromanger avec *Le Rouge,* film militant appartenant à la catégorie du "film tract", qui renvoie au climat d'effervescence sociale de Mai 1968. Cet engagement est présent en filigrane chez Michel Parmentier : la couleur rouge de ses peintures de l'année 1968 rappelle la radicalité de nature politique de sa démarche.

Crise de la représentation

Plusieurs orientations se dessinent et se superposent dans l'évolution des relations complexes que l'art entretient avec l'histoire. Après la Première Guerre mondiale et durant presque toute la première moitié du siècle, l'art, perçu comme un véritable acte d'engagement, se définit comme un moyen d'activation de la prise de conscience politique et affirme la nécessité de l'émergence d'une esthétique nouvelle dans un monde neuf. Après la Seconde Guerre mondiale, la question décisive n'est plus tant l'attitude de l'artiste face à l'histoire que celle de la forme que doit revêtir son projet artistique,

Painful deformations of figures, distortions of forms to the point of monstrousness, and a quest for the essential: the world was seized by convulsions. In the wake of an artist like Jacques Callot (*Grande Misères de la guerre/Great Miseries of War*, 1633) or Francisco Goya (*Disasters of War*, 1810-1820), the work was the site of a tireless questioning and criticism of history. The heroic representation of the soldier and the glorious image of violence were replaced by the desperate vision of a smitheerened and self-destructive man. We are witnessing the collapse of morality associated with the idea of war up until the 19th century: a morality keen that this latter, war, in spite of its savagery, should have not only a political function, but also and paradoxically a function of healing and salvation.

The comparison with history and political events can also be taken in a parodic way. Victor Brauner's answers to the rise of Nazism, and the unkind character sketches of Hitler (1934) and Hindenburg (1935-1936) work on the grotesque dimension, caricature and the mockery of power, faithful to the tradition of Alfred Jarry. With Annette Messager (*Les Piques*, 1992-1993), stuffed animals, and found and manufactured objects are impaled on long metal spikes, an amused and removed allusion to the revolutionary episode. With Philippe Cazal's *Les Mots de Mai 1968/The Words of May '68* (1998), 20 fragmented slogans are presented for deciphering, thus playing on memory and the evocative power of words.

The revolutionary explosion, carrying with it an immense hope, lends meaning to artistic revolts. In Russia, many artists (Kasimir Malevich, Vladimir Tatlin...) played an active part in the Revolution, keen to contribute, in so doing, to the renewal of artistic life, keen, too, to build a new Russia. In the 1960s and 1970s, anti-establishment and revolutionary commitment was ubiquitous among artists, who became mobilized and politicized in the face of the numerous political crises, as in the case of the young Immendorff, up in arms against bourgeois social democracy, and with Gérard Fromanger in *Le Rouge/Red*, a militant film belonging to the category of "tract films", referring to the atmosphere of social turmoil of May 1968. This commitment is present between the lines, as it were, in the work of Michel Parmentier: the red colour of his paintings produced in 1968 calls to mind the political radicalness of his approach.

Crisis of representation

Several orientations can be traced and overlaid in the development of the complex relations between art and history. After the First World War and throughout almost all of the first half of the 20th century, art was perceived as an act of commitment, no less, and defined as a way of activating political awareness and asserting the need for the emergence of a new aesthetics in a new world. After the Second World War, the decisive issue was no longer so much the artist's attitude to history as that of the form which should

interrogation qui va animer nombre de débats. À partir des années 1960, le problème de l'histoire est abordé dans une perspective qui n'est plus seulement celle de sa représentation.

Après la Shoah, la question du destin de la représentation et de la transformation de ses codes est posée de manière cruciale et va hanter le travail d'un certain nombre d'artistes et d'écrivains. Jean Cayrol, dans *Lazare parmi nous* (1950), pose la question des limites de l'art et rejoint la pensée de Theodor Adorno : "Écrire un poème après Auschwitz est barbare[5]."

Dans ce contexte, les dessins réalisés par Zoran Music lors de sa déportation à Dachau ont un statut qui pose question, tout à la fois témoignages de l'horreur absolue, preuves, reliques et œuvres d'art. On y apprend que la mort, à la manière d'un artiste, façonne les formes, le travail du peintre étant de parachever l'œuvre de celle-ci comme si, au fond, elle était un sujet pictural comme un autre permettant l'expérimentation plastique. Mangelos (*Paysage de la mort*, 1942-1944) et Olivier Debré (*La Mort de Dachau*, 1945), confrontés à l'actualité brutale des événements, traduisent dans une série d'œuvres abstraites des notions aussi peu visuelles que la cruauté, la terreur, l'absence. Avec le bâtiment en "zig zag" qu'il conçoit pour le musée juif de Berlin (1989-1998), Daniel Libeskind pose également la question, inhabituelle, des limites de l'architecture. Comment construire là où tout a été détruit ? Comment l'architecture peut-elle se confronter à l'histoire ?

L'appropriation des images issues des médias au début des années 1960 a rendu possible l'existence d'un nouveau genre de "peinture d'histoire", revisitée et subvertie, devenue spectacle, notamment dans le Pop Art avec Warhol ou dans la Figuration narrative, chez Erró par exemple. Chez Anselm Kiefer, Markus Lüpertz ou Jörg Immendorff, la peinture est le lieu où la perspective historique est reconstruite, où il est possible de mettre au jour la mémoire des événements enfouis, condition nécessaire pour maîtriser un présent ou un passé insupportables. Depuis les années 1990, Luc Delahaye et Sophie Ristelhueber mènent un travail photographique proche des "tableaux d'histoire" du XIXe siècle qui interroge la frontière entre photographie et photojournalisme, document et fiction, à l'heure où le débat sur l'image médiatique et son rôle dans l'histoire se complexifie toujours plus.

inform his artistic project, a question which would enliven many discussions. From the 1960s on, the issue of history was broached from an angle which was no longer merely that of its representation.

After the Shoah, the issue of the fate of representation and the transformation of its codes was raised in a crucial way and would haunt the work of a certain number of artists and writers. Jean Cayrol, in *Lazare parmi nous/Lazarus among Us* (1950), raised the question of the limits of art and linked up with the thinking of Theodor Adorno: "Writing a poem after Auschwitz is barbaric[5]."

In this context, the drawings made by Zoran Music when he was deported to Dachau have a status which raises questions, at once evidence of absolute horror, proofs, relics, and works of art. In them we learn that death, like an artist, fashions forms, it being the job of the painter to complete the work of this death, as if, essentially, it were a pictorial subject like any other, permitting visual experimentation. Confronted with the brutal actuality of events, Mangelos (*Paysage de la mort/Landscape of Death*, 1942-1944) and Olivier Debré (*La Mort de Dachau/The Death of Dachau* 1945), convey in a series of abstract works notions which are as non-visual as cruelty, terror and absence. With the "zigzag" building he has designed for the Jewish Museum in Berlin (1989-1998), Daniel Libeskind also raises the unusual question about the limits of architecture. How is one to construct where everything has been destroyed? How can architecture face up to history?

The appropriation of images from the media in the early 1960s rendered possible the existence of a new genre of "history painting", revisited and subverted, and turned into spectacle, in particular in Pop Art with Warhol and in Narrative Figuration in the work of Erró, for example. With Anselm Kiefer, Markus Lüpertz and Jörg Immendorff, painting is the place where historical perspective is reconstructed, and where it is possible to shed light on the memory of buried events, a necessary condition for mastering an unbearable present or past. Since the 1990s, Luke Delahaye and Sophie Ristelhueber have been producing photographic work akin to the "history paintings" of the 19th century challenging the borderline between photography and photo-journalism, document and fiction, at a time when the debate about the media image and its role in history is becoming more and more complex.

Translated in English by Simon Pleasance

1. Filippo Tommaso Marinetti cité dans Giovanni Lista, *Futurisme : manifestes, documents, proclamations*, Lausanne, L'Âge d'homme, 1973, p. 24.
2. F. T. Marinetti, "Manifeste initial du Futurisme", *Le Figaro*, 20 février 1909.
3. Entretien de Picasso avec Simone Téry, *Les Lettres Françaises*, 24 mars 1945.
4. "Fernand Léger : une correspondance de guerre à Louis Poughon, 1914-1918", *Les Cahiers du Musée national d'art moderne*, 1990, hors série, p. 36.
5. Theodor W. Adorno, *Prismes, Critique de la culture et société*, Paris, Payot, 1986, p. 23.

1. Filippo Tommaso Marinetti quoted in Giovanni Lista, *Futurisme: manifestes, documents, proclamations*, Lausanne, L'Âge d'homme, 1973, p. 24.
2. F. T. Marinetti, "Manifeste initial du Futurisme", *Le Figaro*, 20 February 1909.
3. Simone Téry interview with Picasso, *Les Lettres Françaises*, 24 March 1945.
4. "Fernand Léger: a war correspondence with Louis Poughon, 1914-1918", *Les Cahiers du Musée national d'art moderne*, 1990, special issue, p. 36.
5. Theodor W. Adorno, *Prismes, Critique de la culture et société*, Paris, Payot, 1986, p. 23.

Jörg Immendorff, Alles geht vom Volke aus, 1976

Erró, Watercolors in Moscow, 1975

Gérard Fromanger,
Le Rouge, 1968

Michel Parmentier, 1968 [Rouge], 1968

Cy Twombly, Achilles Mourning the Death of Patroclus, 1962

Joseph Beuys, Infiltration homogen für Konzertflügel, 1966

Yves Klein, Ci-gît l'espace (RP 3), 1960

Andy Warhol, Electric Chair, 1967

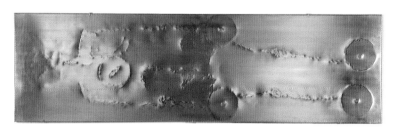

Gina Pane, François d'Assise trois fois aux blessures stigmatisées, 1985-1987

Daniel Libeskind, Extension du Musée historique de Berlin, département du musée juif, 1989-1998

Mona Hatoum, Measures of Distance, 1988

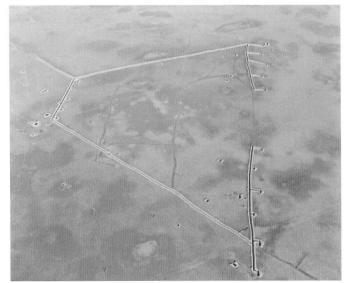

Sophie Ristelhueber, Fait, 1992

Markus Lüpertz, Exekution, 1992

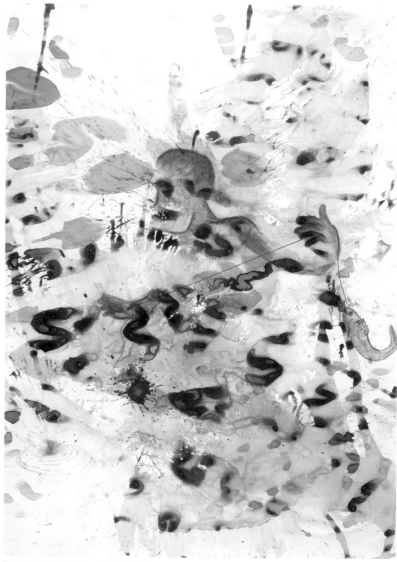

Francesco Clemente, Codice, 1982

Erik Dietman, Dépêche, 2000-2002

Georges Braque, Vanitas, 1939

Sigmar Polke, Jeux d'enfants, 1988

Filippo Tommaso Marinetti, *Manifeste de
la danse futuriste : "Danse de l'aviateur ; danse
du Shrapnelle ; danse de la mitrailleuse",*
paru pour la première fois dans l'*Italia futurista*, 8 juillet 1917.

DANSE DE LA MITRAILLEUSE
Je veux exprimer toute l'émotion délirante du cri *"Savoia !"*
qui se déchire en lambeaux et meurt héroïquement sous le
laminoir mécanique-géométrique inéxorable du feu des
mitrailleuses.
1. Mouvement. – Avec les pieds (les bras tendus en avant)
la danseuse imitera le martèllement mécanique du *tap-tap-
tap-tap-tap-tap-* de la mitrailleuse. La danseuse montrera
d'un geste rapide une pancarte imprimée en rouge :
"Ennemi à 700 mètres".
2. Mouvement. – Avec les mains arrondies en forme de coupe
(l'une pleine de roses blanches, l'autre pleine de roses
rouges) elle imitera l'éclosion du feu au sortir du canon de
la mitrailleuse. La danseuse aura entre ses lèvres une grande
orchidée blanche et montrera une pancarte imprimée
en rouge : *"Ennemi à 500 mètres".*
3. Mouvement. – Avec les bras grands-ouverts, elle décrira
l'éventail tournoyant et arrosant des projectiles.
4. Mouvement. – Le corps pivotera lentement, et les pieds
martèleront les planches.
5. Mouvement. – Elle accompagnera avec d'impétueux élans
du corps en avant le cri de *"Savoiaaaaaaaaaaaaaa !"*
6. Mouvement. – La danseuse à quatre pattes, imitera la
forme de la mitrailleuse, noire-argent sous son ruban-ceinture
de cartouches. Les bras tendus en avant, elle agitera
fiévreusement l'orchidée blanche et rouge, comme un canon
de mitrailleuse pendant le tire.
Nous montrerons bientôt au public les costumes créés
pour ces danses par le grand peintre futuriste Balla, qui a
victorieusement imposé au Théâtre Costanzi de Rome
le premier décor futuriste, en 1912.
J'ai inventé la Danse futuriste pendant l'hiver 1914.
Ce manifeste (paru pour la première fois en italien dans
l'*Italia futurista* du 8 juillet 1917) annule toutes les danses
passéistes, qui ne doivent plus être exhumées. Il n'exclue
pourtant pas d'autres danses futuristes que notre génie
novateur saura certainement concevoir et créer.

Paul Celan, "Fugue de mort",
dans *Choix de poèmes réunis par l'auteur* [1952],
trad. de l'allemand par Jean-Pierre Lefebvre, Paris, Gallimard, 1998, p. 53-57
© 1952 Deutsche Verlags-Anstalt, Stuttgart.

FUGUE DE MORT
Lait noir de l'aube nous le buvons le soir
le buvons à midi et le matin nous le buvons la nuit
nous buvons et buvons
nous creusons dans le ciel une tombe où l'on n'est pas
serré
Un homme habite la maison il joue avec les serpents il
écrit
il écrit quand il va faire noir en Allemagne Margarete tes
cheveux d'or
écrit ces mots s'avance sur le seuil et les étoiles tressaillent
il siffle ses grands chiens
il siffle il fit sortir ses juifs et creuser dans la terre une
tombe
il nous commande allons jouez pour qu'on danse

Lait noir de l'aube nous te buvons la nuit
te buvons le matin puis à midi nous te buvons le soir
nous buvons et buvons
Un homme habite la maison il joue avec les serpents il
écrit
il écrit quand il va faire noir en Allemagne Margarete tes
cheveux d'or
Tes cheveux cendre Sulamith nous creusons dans le ciel
une tombe où l'on n'est pas serré

Il crie enfoncez plus vos bêches dans la terre vous autres
et vous chantez jouez
il attrape le fer à sa ceinture il le brandit ses yeux sont
bleus
enfoncez plus les bêches vous autres et vous jouez encore
pour qu'on danse

Lait noir de l'aube nous te buvons la nuit
te buvons à midi et le matin nous te buvons le soir
nous buvons et buvons
un homme habite la maison Margarete tes cheveux d'or
tes cheveux cendre Sulamith il joue avec les serpents

Il crie jouez plus douce la mort la mort est un maître
d'Allemagne
il crie plus sombres les archets et votre fumée montera
vers le ciel
vous aurez une tombe alors dans les nuages où l'on n'est
pas serré

Lait noir de l'aube nous te buvons la nuit
te buvons à midi la mort est un maître d'Allemagne
nous te buvons le soir et le matin nous buvons et buvons
la mort est un maître d'Allemagne son œil est bleu
il t'atteint d'une balle de plomb il ne te manque pas
un homme habite la maison Margarete tes cheveux
d'or
il lance ses grands chiens sur nous il nous offre une
tombe dans le ciel
il joue avec les serpents et rêve la mort est un maître
d'Allemagne

tes cheveux d'or Margarete
tes cheveux centre Sulamith

SUBVERSION
SUBVERSION

Alberto Giacometti, Le Nez, 1947

SUBVERSION
Agnès de la Beaumelle

Ce que Valéry allait appeler la "crise de l'esprit" pour désigner
la remise en question radicale des fondements de la civilisation
européenne, au lendemain de la Première Guerre mondiale,
se manifeste par la mise en pièces de toutes les autorités.
Ces manifestations virulentes de destruction se doublent de toutes
les attitudes de la subversion : parodie, sarcasme, mot d'esprit,
jeu, pastiche, ironie, humour, rire enfin. Appliquées à l'établi,
au poncif, à l'institutionnel, celles-ci en appellent – plus qu'à la
table rase –, à l'irrationnel, au trouble, au doute généralisé.
Quelques exemples radicaux s'imposent d'emblée, s'exerçant
sur les figures emblématiques de notre société. Le Technocrate ?
Stigmatisé avec une ironie mordante par le mannequin fantoche
conçu par Raoul Hausmann (*L'Esprit de notre temps*, 1919).
L'Ingénieur ? Georg Grosz en érige l'effigie bureaucratique
(*Remember Uncle August, the Unhappy Inventor*, 1919). Le Peintre ?
Hans Arp affiche sa misérable palette en bois flottés (*Trousse
d'un Da*, 1919). Le Soldat ? Pour Otto Dix, un noceur lubrique dans
un bordel (*Souvenir de la galerie des glaces à Bruxelles*, 1920).
L'Église ? Francis Picabia macule d'une tache d'encre une simple
feuille et l'appelle *Sainte-Vierge* (1920). L'Écrivain ? Dans sa *Préface
à Monsieur Teste,* Valéry décrit la lucidité impuissante du littérateur
sans roman. L'Artiste enfin ? À l'exemple de Marcel Duchamp,
maître absolu d'une esthétique de la indifférence et de l'humour,
il peut se faire éleveur de poussières, profanateur sacrilège,
récupérateur d'objets quotidiens, colporteur de sa propre œuvre,
et joueur définitif d'échecs dès 1923.

Tics, tics et tics (Lautréamont)

Dans les rangs Dada, Picabia est peut-être celui qui met en place
la machine de guerre la plus efficace contre tous les poncifs,
le bon goût et la logique intellectuelle. L'humour est chez lui
souverain : invention de toutes les stratégies de provocation (insultes,
lettres ouvertes, procès) qui feront tout au long du siècle partie
de l'action artistique ; créations d'anti-peintures transparentes ou

SUBVERSION
Agnès de la Baumelle

What Valéry would call the "crisis of the mind", to describe the radical
challenge to the foundations of European civilization, at the end
of the First World War, is illustrated by the smithereening of
all manner of authority. These virulent displays of destruction went
hand in hand with every manner of subversive attitude: parody,
sarscasm, puns and quips, pastiche, irony, wit, and last of all laughter.
Applied in the accepted way, in a cliché'd way, or institutionally,
these displays call for not so much a clean slate, as for the irrational,
the murky, and overall doubt. One or two radical examples come
straight to mind, wielding their influence on the emblematic figures
of our society. The Technocrat? Stigmatized with caustic irony
by the puppet dummy which is the brainchild of Raoul Hausmann
(*L'Esprit de notre temps/The Spirit of our Times*, 1919).
The Engineer? Georg Grosz erects the bureaucratic effigy of this
figure (*Remember Uncle August, the Unhappy Inventor*, 1919).
The Painter? Hans Arp displays his shabby palette made of flotsam
(*Trousse d'un Da/A Da Kit*, 1919). The soldier? For Otto Dix,
a lubricious reveller in a brothel (*Memories of the House of Mirrors
in Brussels*, 1920). The Church? Francis Picabia spatters an ink blot
on a sheet of paper and calls it *Holy Virgin* (1920). The Writer?
In his *Preface to Monsieur Teste*, Valéry describes the powerless
lucidity of the novel-less man of letters. And the Artist, last of all?
Using the example of Marcel Duchamp, undisputed master of an
aesthetics of indifference and humour, he may turn into a dust
breeder, a sacriligious blasphemer, recycler of everyday objects,
hawker of his own work, and convinced chess-player from 1923 on.

Tics, tics and tics (Lautréamont)

In the ranks of Dada, Picabia is possibly the person who introduced
the most effective war machine against all clichés, good taste and
intellectual logic. With him, wit was sovereign: the invention of all
strategies of provocation (insults, open letters, trials) which,
throughout the century, would be part and parcel of the artistic
programme; creations of anti-paintings, either transparent or blind;
affirmation of the right to "co-plunder", and lastly the claim of total
freedom. His work, which was postmodern ahead of its time, is still
a model of transgression and derision for future generations.
The spirit of subversion, which drove the Surrealists, was nurtured
by the reading of history's great mutineers: Sade, Nietzsche,
Lautréamont, Poe and, needless to add, Rimbaud, who, with
his need to "encrapulate" himself, launched that absolute slogan-like
watchword: "derangement of all the senses". Blasphemy and

aveugles ; affirmation du droit au "co-pillage", revendication enfin de toute liberté. Postmoderne avant l'heure, son œuvre reste pour les générations à venir un modèle de transgression et de dérision. L'esprit de subversion qui anime les surréalistes se nourrit de la lecture des grands insurgés de l'histoire : Sade, Nietzsche, Lautréamont, Poe et bien sûr Rimbaud qui, avec la nécessité de "s'encrapuler" lance ce mot d'ordre absolu qu'est le "dérèglement de tous les sens". Blasphème et sacré habitent l'*Histoire de l'œil* (1928) de Georges Bataille. Se développe le goût pour l'humour noir et le roman noir burlesque. Une place particulière revient à la figure de la marionnette d'Ubu créée par Alfred Jarry, symbole même du grotesque : *Ubu Imperator* (1923) de Max Ernst est une parodie du père comme du peintre ; de nombreuses toiles des années 1920 de Joan Miró affichent le profil lunaire et mécanique d'Ubu pour évoquer le mélange indissociable du sexe et du pouvoir ; *La Force de concentration de Monsieur K.* (1934) de Victor Brauner dédouble l'image de l'ogre moustachu. Figures d'Ubu encore, avec le monstre photographié par Dora Maar ou le poupon cocasse du *Cycliste* (1955) de Dado qui régnera sur une armée de tanks et de robots à son image. S'impose enfin l'humour absolu de Raymond Roussel (*Impressions d'Afrique*) : folie de l'insolite, jeux sans fin de langage, objets mécaniques absurdes, farces de mascarade, tout est suspens du sens, entre le folâtre et le lieu commun, tout est "laisse de vagabondage". Une réflexion sur la part du jeu, étayée par les anthropologues (Huizinga), infléchit une bonne part des créations des années 1930. Ainsi dans les objets "désagréables" d'Alberto Giacometti se jouent et se déjouent confrontation des sexes, désir et danger de mort (*La Pointe à l'œil*, 1931).
Avec *Le Nez* (1947), Giacometti va donner, au sortir de la Seconde Guerre mondiale, l'une des figures les plus fortement dérisoires – entre être et résidu d'être, entre crâne et figure de Carnaval – du nouveau désastre humain. La trajectoire du grotesque se poursuit en s'appliquant à la dénonciation de tous les mécanismes sous-jacents du pouvoir et de l'oppression de notre environnement quotidien : ainsi Magritte donne avec *Le Stropiat* (1948) une figure comique de l'idiotie de l'homme contemporain, qu'on retrouve jusqu'à maintenant déclinée chez Alain Séchas, Thomas Schütte, ou encore John Currin.

Arrhe/art = merdre/merde

L'iconoclasme – destruction de l'art, de ses poncifs et de ses chefs-d'œuvre, rejet de l'institution muséale, mise en question du rôle de l'artiste – constitue un axe majeur des comportements subversifs. Le rôle de Duchamp qui, dès 1914, reprend les termes de Raymond Roussel : "arrhe/art = merdre/merde", est décisif. En crayonnant une moustache sur la *Joconde* et en intitulant le tout *L.H.O.O.Q.* (1930), il transforme en bombe anti-artistique celle qui devient désormais le plus célèbre travesti du monde. Man Ray démontre qu'une *Easel Painting* (1938) peut être une "easy painting". Avec la vague ou plutôt l'épidémie duchampienne, qui saisit les milieux de l'art dans les années 1960,

sacredness inform Georges Bataille's *Histoire de l'œil/History of the Eye* (1928). There was a growing fondness for black humour and the burlesque Gothic novel. A special place went to the figure of the Ubu marionette created by Alfred Jarry, the very symbol of the grotesque: *Ubu Imperator* (1923) by Max Ernst is a parody of the father as painter; many of Joan Miró's canvases from the 1920s display the moonlike and mechanical profile of Ubu to evoke the inseparable mixture of sex and power; *La Force de concentration de Monsieur K./Mister K's Powers of Concentration* (1934) by Victor Brauner duplicates the image of the moustachioed ogre; later on, figures of Ubu again, with the monster photographed by Dora Maar and the comical baby doll of Dado's *Cycliste* (1955) reigning over an army of tanks and robots just like him. Last of all, there was the absolute humour of Raymond Roussel (*Impressions of Africa*): madness of the unusual, endless linguistic games, absurd clockwork objects, masquerade farces, everything was suspense of sense, somewhere between the frolicsome and the commonplace, everything was "marks of roaming". A reflection on the share of the game, underpinned by anthropologists (Huizinga), imbued many of the works of the 1930s. So in Alberto Giacometti's "unpleasant" objects, confrontation of the sexes was enacted and foiled, desire and danger of death (*La Pointe à l'œil*, 1931). With *Le Nez/The Nose* (1947), just after the Second World War, Giacometti would produce one of the most markedly derisory figures of the new human catastrophe–between being and remnant of beings, between skull and carnival figure. The trajectory of the grotesque was pursued by focussing on the denunciation of all the machinery just beneath power and the oppression of our everyday environment: thus Magritte produced *Le Stropiat* (1948), a comical figure of the idiocy of contemporary man, which crops up to date in the work of Alain Séchas, Thomas Schütte and John Currin.

Arrhe/art = merdre/merde

Iconoclasm–the destruction of art, its clichés and masterpieces, rejection of the museum institution, challenge to the artist's role–is a major factor of subversive behaviour. The role of Duchamp who, in 1914, borrowed Raymond Roussel's words: "arrhe/art = merdre/merde", was decisive. By pencilling in a moustache on the Mona Lisa's upper lip and titling the work *L.H.O.O.Q.* (1930), he made an anti-art bomb out of the beautiful woman who has since become the world's most famous cross-dresser. Man Ray showed that an *Easel painting* (1938) could be an "easy painting". With the Duchamp-inspired wave, nay, tsunami, or epidemic, that held art circles in its grip in the 1960s, the disinvolvement of the act of painting, its hijacking and total disappearance in favour of the object or image would all call the shots among the advocates of New Realism and Pop Art. The subversion of icons and pastiche held sway. An example or two: as an "occultist witness of écorché paper", Raymond Hains redoubled his acts of distance (*Nymphéas/Water-lilies*, 1961);

le désinvestissement de l'acte de peinture, son détournement ou sa disparition totale au profit de l'objet ou de l'image vont s'imposer chez les tenants du Nouveau Réalisme et du Pop Art. La subversion des icônes et le pastiche occupent le terrain. Quelques exemples : "témoin occultiste du papier écorché", Raymond Hains redouble les actes de distance (*Nympheas*, 1961) ; dans ses "tableaux-pièges", Daniel Spoerri ironise sur le thème du "détrompe l'œil" (*La Douche*, 1961). De son côté, Martial Raysse va chercher ses cibles au Louvre : sa *Grande Odalisque* (1964) a le mauvais goût d'une image-pub livrant la belle d'Ingres en un clin d'œil racoleur. Parodie encore chez Alain Jacquet qui, dans ses *Camouflages*, interprète avec un humour décapant des icônes classiques, en faisant appel à des procédés de sérigraphie ou à des clichés (*Le Déjeuner sur l'herbe*, 1964). À l'ère de la reproduction mécanisée désignée par Walter Benjamin, la main, le savoir-faire, l'original, n'ont plus droit de cité.

Le musée ? Il est littéralement mis en boîte et à usage personnel, depuis *La Boîte en valise* de Duchamp, les boîtes de Joseph Cornell, jusqu'aux objets Fluxus, aux "trésors de guerre" de Sarkis ou aux "vitrines de références" de Boltanski. Le "brouillage culturel et la confusion des territoires" sont désormais à l'œuvre dans nombre d'installations ironiquement muséales comme *Le Container Zéro* (1988) de Jean-Pierre Raynaud, tout à la fois retable de céramique, pièce habitacle, et reliquaire du vide ; ou comme le "mur", tout équipé pour son exposition (éclairage et cartel), des *Archives de Christian Boltanski 1965-1988* (1989). Statuts de la peinture et de la sculpture ? Ils sont également subvertis : dans l'idée de démystifier l'art du musée comme de saper le marché de l'art, Claes Oldenburg promeut un art populaire et détourne l'"œuvre d'art" (*Soft Version of Maquette for a Monument Donated to Chicago by Pablo Picasso*, 1968). Richard Artschwager met en œuvre l'ambivalence de la relation image/matériau (*Triptych II*, 1964). Bertrand Lavier travaille dans la zone de l'infra mince, entre art et non-art, avec des objets repeints avec l'excès d'une touche à la Van Gogh ou superposés (*Brandt/Haffner*, 1984). Claude Rutault, explorant quant à lui les "stand-art" du travail pictural – toile, châssis, couleur monochrome –, en arrive à concevoir désormais la peinture non plus comme un artefact mais comme un élément en transit (*Toiles à l'unité*, 1973). Enfin, l'artiste ? Si Gérard Gasiorowski ritualise la mort de la peinture dans ses *Croûtes*, il assimile également son propre état de santé à une peinture qui "débande" (*L'Artiste à l'hôpital*, 1975-1976). Même sarcasme appliqué à lui-même chez Erik Dietman, qui opère dans ses objets "pansés" (*La Scie malade*, 1968) une remise en question des fondamentaux de la sculpture ; son *Béret de Rodin* (1904) est tout à la fois dérision, autodérision et hommage nostalgique.

in his "trap-pictures", Daniel Spoerri cast an ironical eye on the theme of the "de-trompe l'œil" (*La Douche/The Shower,* 1961). For his part, Martial Raysse would seek out his targets in the Louvre: his *Grande Odalisque* (1964) had the bad taste of an advertising image, depicting the beautiful woman painted by Ingres with a come-hither wink. Parody was also the name of the game with Alain Jacquet who, in his *Camouflages*, wittily, if scathingly, interpreted the classical icons, calling on silkscreening processes and snapshots to that end (*Le Déjeuner sur l'herbe*, 1964). In the age of mechanized reproduction, as described by Walter Benjamin, the hand, knowhow, and the original no longer had any entitlement.

What of the museum? It has literally been boxed and earmarked for personal use, from Duchamp's *Box in a Valise*, and Joseph Cornell's boxes, to Fluxus objects, Sarkis' "war treasures", and Boltanski's "reference display stands". "Cultural blurring and the muddling of territories" are henceforth at work in many ironically museum-based installations such as *Le Container Zéro* (1988) by Jean-Pierre Raynaud, which is at once a ceramic retable, a dwelling-cum-room, and a reliquary of emptiness; or like the "wall", all fitted out for his exhibition (lighting and notices) of the *Archives of Christian Boltanski 1965-1988* (1989). What status, painting or sculpture? They are both similarly subverted: with the idea of demystifying museum art and undermining the art market, Claes Oldenburg promotes a popular art and hijacks the "work of art" (*Soft version of Maquette for a Monument Donated to Chicago by Pablo Picasso*, 1968). Richard Artschwager applies the ambivalence of the relationship between image and material (*Triptych II*, 1964). Bertrand Lavier works in the zone of the "infra mince" or "infra small", between art and non-art, with objects repainted with the excess of a Van Gogh-like touch or surimposed (*Brandt/Haffner*, 1984). Claude Rutault, who for his part explores the "stand-art" forms of pictorial art–canvas, frame/stretcher, monochrome colour–manages to conceive henceforth of painting no longer as an artefact but as an element in transit (*Toiles à l'unité*, 1973). And what, lastly, of the artist? Gérard Gasiorowski may ritualize the death of painting in his *Croûtes/Crusts*, but he also assimilates his own state of health to a picture which "slackens" (*L'Artiste à l'hôpital*, 1975-1976). The same self-applied sarcasm crops up with Erik Dietman, who, in his "bandaged" or "dressed" objects (*La Scie malade/The Sick saw*, 1968), introduces a questioning of the fundamentals of sculpture: his *Béret de Rodin/Rodin's Beret* (1984) is at once derision, self-mockery, and nostalgic tribute.

Translated in English by Simon Pleasance

Glenn Brown, Architecture and Morality, 2004

René Magritte, Le Stropiat, 1948

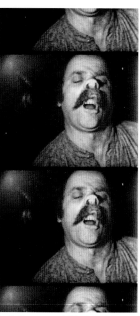

Erró, Grimaces, 1962-1967

John Currin, The Moroccan, 2004

Pablo Picasso, Le Chapeau à fleurs, 1940

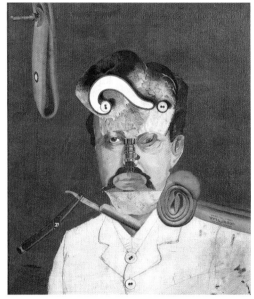

George Grosz, Remember Uncle August,
the Unhappy Inventor, 1919

Hannah Höch, Mutter, [1925-1926]

Gino Severini, Autoportrait, 1912/1960

Dora Maar, Portrait d'Ubu, 1936

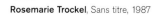

Rosemarie Trockel, Sans titre, 1987

Dado, Le Cycliste, 1955

Jean-Paul Jungmann, Dyodon et constructions pneumatiques annexes, 1967

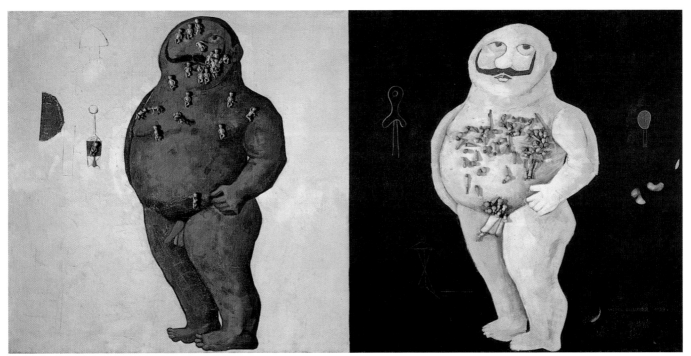

Victor Brauner, Force de concentration de Monsieur K., 1934

Philippe Starck, Tabourets-table Gnomes, 2000

UFO, Lampe Paramount, 1970-1975

Radi Designers, Whippet Bench, 1998

Marcel Duchamp, L.H.O.O.Q., 1930

Francis Picabia, Femmes au bull-dog, 1941-1942

Eric Fischl, Strange Place to Park n° 2, 1992

Braco Dimitrijevic, Triptychos Post Historicus
(Triptyique post-historique ; mère de Romulus & Remus), 1989

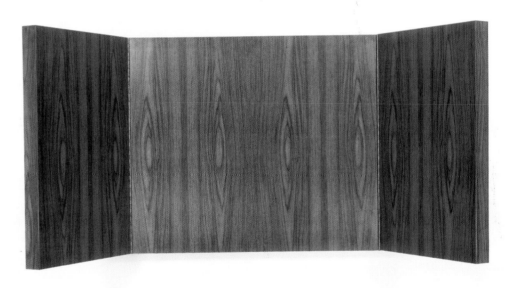

Richard Artschwager, Triptych II, 1964

Bertrand Lavier, Brandt/Haffner, 1984

Louise Lawler, Carpeaux, 1988

Klaus Pinter, The Cocoon, 1971

Jan Kaplicky, Bulle, 1983

Guy-Ernest Debord,
"Toute l'eau de la mer ne pourrait pas…",
Potlach, Bulletin d'information du groupe français de l'Internationale lettriste,
n° 1, 22 juin 1954, p. 11-13.

"Toute l'eau de la mer ne pourrait pas…
Le 1er décembre, Marcelle M., âgée de seize ans, tente de se suicider
avec son amant. L'individu, majeur et marié, ose déclarer, après qu'on
les eut sauvés, qu'il a été entraîné 'à son corps défendant'.
Marcelle est déférée à un tribunal pour enfants qui doit 'apprécier
sa part de responsabilité morale.'
En France, les mineures sont enfermées dans des prisons généralement
religieuses. On y fait passer leur jeunesse.
Le 5 février, à Madrid, dix-huit anarchistes qui ont essayé de
reconstituer la C.N.T. sont condamnés pour rébellion militaire.
Les bénisseurs-fusilleurs de Franco protègent la sinistre 'civilisation
occidentale'.
Les hebdomadaires du mois d'avril publient, pour leur pittoresque,
certaines photos du Kenya : le rebelle 'général Chine' entendant
sa sentence de mort. La carlingue d'un avion de la Royal Air Force
où trente-quatre silhouettes peintes représentent autant d'indigènes
mitraillés au sol. Un noir abattu s'appelle un Mau-Mau.
Le 1er juin, dans le ridicule *Figaro*, Mauriac blâme Françoise Sagan
de ne point prêcher – à l'heure où l'Empire s'en va en eau de boudin –,
quelques-unes des valeurs bien françaises qui nous attachent
le peuple marocain par exemple. (Naturellement nous n'avons pas
une minute à perdre pour lire les romans et les romancières de
cette petite année 1954, mais quand on ressemble à Mauriac, il est
obscène de parler d'une fille de dix-huit ans.)
Le dernier numéro de la revue néo-surréaliste – et jusqu'à présent
inoffensive – *Medium* tourne à la provocation : le fasciste Georges
Soulès surgit au sommaire sous le pseudonyme d'Abellio ; Gérard
Legrand s'attaque aux travailleurs nord-africains de Paris.
La peur des vraies questions et la complaisance envers des modes
intellectuelles périmées rassemblent ainsi les professionnels de
l'écriture, qu'elle se veuille édifiante ou révoltée comme Camus.
Ce qui manque à ces messieurs, c'est la Terreur."

Witold Gombrowicz, *Trans-Atlantique,*
trad. du polonais par Constantin Jelenski et Geneviève Serreau, Paris, Denoël,
1976, p. 43-44.

"Ce n'est qu'une fois dans la rue que je lâche la bride à ma hargne.
Ho là, hein, comment ? Quoi, quoi, de quoi ? Pourquoi ?
Mais comment ça ? Et de quel droit ? Bon Dieu, qu'est-ce qui m'arrive ?
Aïe, aïe, aïe, on m'a eu, ça doit être ça. Ils m'ont eu encore une fois !
O Jésus, ô Christ, je suis pris au trébuchet, empêtré, englué.
Dois-je toujours buter dans les pièges du Destin, retomber sans cesse
dans les prisons de ma vie ? D'un côté le courant du passé qui
m'entraîne tel un fétu de paille, de l'autre les vagues furieuses
du destin qui me prennent à revers, et moi je me cabre et frémis
comme un cheval et rugis comme un lion et me jette contre les
barreaux de cette nouvelle prison. Oh, pourquoi suis-je allé à la
Légation ? Maudits merdeux avec leur rage de grandeur et leur
manie de faire la roue en exhibant leurs génies aux yeux du monde :
contemplez, messieurs-dames, notre phénix, notre Gombrowicz
National ! Hein, vous avez vu ça ! Admirez nos vertus ! notre gloire !
nos mérites ! Voyez nos palais fabuleux, nos bibelots, nos curiosités,
nos et caetera… ! Et s'il-vous-plaît, par pitié, ne nous bottez pas le cul,
à nous qui possédons un Génie, Gombrowicz ! Telle est la sordide
manœuvre de Son Excellence le Merdeux : duper ces Américains
– ce n'est pas difficile – et me gaver de louanges de façon que
je me mette à gonfler du levain de ses honorantes flatteries.
Eh bien non, jamais ! jamais ! Jamais ! Malade de fureur, je l'envoie
au diable, le pousse dehors, l'expulse mille et mille fois, le flanque
à la porte, ce Ministre, le révoque, le détrône, le déchois, le frappe
à coups de bâton, à coups de gourdin ! Maudite la nation qui ne
respecte pas ses fils, maudits les fils qui ne se respectent pas les uns
les autres ! La rage au cœur, je l'étrille avec mon gourdin, lui donne
son paquet, au Ministre, et l'éjecte, lui et tous les honorables
et dignitaires, et la vie que nous menons, et les temps que nous
vivons, et sans fin à nouveau je le destitue, le chasse et le rechasse.
Et quand je l'ai chassé cinquante ou soixante fois, je le chasse encore
derechef ! Mais je m'aperçois que les passants se gaussent de moi,
alors je coupe court à ma colère."

MÉLANCOLIE
MELANCHOLY

Magritte René, Le Double Secret, 1927

MÉLANCOLIE
Brigitte Leal

MELANCHOLY
Brigitte Leal

The age old theme of melancholy, which deals with the existential theme of man suffering from his distance from God, suffering too from an absence of hope and from time which inexorably devours him, has been illustrated by a print made by Albrecht Dürer, *Melencolia I* (1514), which has remained as the iconographic model of reference right up to the present day. To this work Alberto Giacometti owes one of his sculptures, *Cube* (1933), inspired by the polyhedron engraved by Dürer. The plaster model in the Museum bears the sketch of a head probably prior to the artist's self-portrait, which is visible on one of the bronze editions. The paradoxical discrepancy between the abstract form of the sculpture and the figurative form of the drawing which the sculpture bears like a signature, and the tension between appearance and disappearance of the motif in the various versions, attest to the never-ending struggle waged by Giacometti with regard to the model and the impossibility of representation. The *Cube* is described as an allegory of melancholy symbolic of the rift experienced by most contemporary artists and in particular the most abstract among them, like Jackson Pollock, Ad Reinhardt and Gerhard Richter, aspiring to the absoluteness of non-representation, while at the same time lamenting the death of subject and style.

MÉLANCOLIE
Brigitte Leal

Le thème séculaire de la mélancolie, qui traite de la condition existentielle de l'homme souffrant de son éloignement de Dieu, de l'absence d'espoir et du temps qui le dévore inexorablement, a été illustré par une gravure d'Albrecht Dürer, *Melencolia I* (1514), qui est restée jusqu'à nos jours le modèle iconographique de référence. Alberto Giacometti lui doit une de ses sculptures, *Cube* (1933), inspirée par le polyèdre gravé par Dürer. Le plâtre du Musée est griffé d'une esquisse de tête, sans doute préalable à l'autoportrait de l'artiste qui est visible sur un des tirages en bronze. L'écart paradoxal entre la forme abstraite de la sculpture et le caractère figuratif du dessin qu'elle porte comme une signature, la tension entre apparition ou disparition du motif au fil des versions, témoignent de l'éternel combat mené par Giacometti face au modèle et à l'impossibilité de la représentation. Ils désignent le *Cube* comme une allégorie de la mélancolie, emblématique du déchirement vécu par la plupart des artistes contemporains et notamment par les plus abstraits d'entre eux, comme Jackson Pollock, Ad Reinhardt ou Gerhard Richter, aspirant à l'absolu de la non-représentation tout en regrettant la mort du sujet et du style.

Modern confusion

Giacometti, who was nagged by the doubt of one seeking the absolute, was fascinated by another saturnine figure, that of André Derain. In a famous text[1], he extolled the qualities of the painter "which only exist beyond failure, flop, and possible perdition", in which he recognized his own dissatisfaction at capturing the appearance of things and his own rejection of all aesthetic dogmatism. In 1954-1955, in the guise of a symbolic tribute to Derain, he would produce an engraved copy (Mnam) of one of these most melancholic pictures, the *Portrait of Iturrino* (1914) which depicts a Spanish painter who was a friend of Picasso. The sombre and haughty effigy, itself conceived as a pastiche of El Greco, whose memory was kept alive by Iturrino, which conjures up the figure of poetic dereliction of Don Quixote, belongs to Derain's cycle of tragic portraits and self-portraits, with which he indicated his definitive abandonment of Cubism and his death sentence among members of the avant-gardes. His abdication caused him to be described by André Breton, in his preface to *Surrealism and Painting* (1928), as the painter of "modern confusion". Within the 20th century these words could be applied to a whole line of dissident artists, children of Saturn and fallen angels of the avant-gardes, guided by their melancholy along the path of

Le trouble moderne

Rongé par le doute du chercheur d'absolu, Giacometti était fasciné par une autre figure saturnienne, celle d'André Derain. Dans un texte célèbre[1], il a loué les qualités du peintre "qui n'existent qu'au-delà de l'échec, du ratage, de la perdition possible" dans lesquelles il reconnaissait sa propre insatisfaction à capter l'apparence des choses et son rejet de tout dogmatisme esthétique. En 1954-1955, il réalisera en guise d'hommage symbolique à Derain, une copie gravée (Mnam) de l'un de ces plus mélancoliques tableaux, le *Portrait d'Iturrino* (1914) qui représente un peintre espagnol, ami de Picasso. Elle-même conçue comme un pastiche du Greco dont Iturrino défendait la mémoire, l'effigie sombre et altière, qui évoque la figure de déréliction poétique du Quichotte, appartient au cycle des portraits et autoportraits tragiques de Derain avec lesquels il signait son abandon définitif du cubisme et son arrêt de mort auprès des tenants des avant-gardes. Son abdication lui vaudra d'être désigné par André Breton, dans sa préface au *Surréalisme et la Peinture* (1928), comme le peintre du "trouble moderne".

Au sein du xxe siècle, la formule pourrait s'appliquer à toute une généalogie d'artistes dissidents, enfants de Saturne et anges déchus des avant-gardes, guidés par leur mélancolie sur les voies d'une nostalgie métaphysique avec De Chirico, du sublime avec Martial Raysse, du néant avec Mark Rothko. Dès 1913, Apollinaire remarquait les peintures "étrangement métaphysiques" présentées par De Chirico dans son atelier parisien et saluait l'entière originalité d'un art "intérieur et cérébral". S'il rend hommage au talent de critique du poète, le *Portrait prémonitoire de Guillaume Apollinaire* (1914) annonce sa fin tragique des suites de ses blessures au front, en novembre 1918, en le représentant sous la forme d'une cible silhouettée en noir qui redouble une autre image de poète profané, celle d'un Homère de plâtre aveugle qui incarne la solitude et le destin des Élus. Le cube hanté et oppressant de la composition, perturbé par la présence déroutante d'objets insolites qui accroissent son mystère, témoigne de sa vision désenchantée du monde, héritière du pessimisme radical de Nietzsche et de Schopenhauer.
Autre grand lecteur de Nietzsche et de *La Naissance de la tragédie*, Mark Rothko aura toute sa vie cherché à exprimer la "vérité de l'artiste" – titre de son livre profession de foi –, à travers une peinture exigeante, exclusivement fondée sur la présence de la couleur seule et la disparition de la figure, qui s'impose au regard par sa présence physique immédiate (*N° 14 [Browns over Dark]*, 1963). Sa conviction que l'abstraction est la seule issue possible ("la peinture abstraite *est* la peinture de son temps") se conjugue avec la conscience du caractère tragique inéluctable de toute ambition artistique. Nostalgique de l'ordre et de la pureté antiques, jaloux de la puissance de l'artiste de la Renaissance, souffrant "d'envoyer dans le monde" ses œuvres intemporelles et vulnérables, il mettra fin à ses jours en 1970.

C'est à travers la tradition du paysage philosophique que Martial Raysse et Peter Doig se posent la question de l'image et de la réhabilitation de la peinture. Raysse, qui fût un des fondateurs du groupe des Nouveaux Réalistes en 1960 et le plus brillant représentant du Pop français, renoue avec la figuration dans les années 1970. Le format monumental de *Ceux du maquis* (1992) affirme son ambition de peintre d'histoire dans la lignée du Poussin. Le titre ambivalent de la peinture peut faire référence à la résistance française pendant la dernière guerre comme à celle d'un bastion artistique. Il désigne, selon Raysse, une allégorie de la lâcheté, incarnée par un espace infini où les personnages sont perdus, symbole de la condition humaine dans sa confrontation constante avec l'inconnu et l'Histoire. Tout aussi imposant, le paysage de Doig, *100 Years Ago* (2001), place au contraire l'homme au centre de sa composition construite par une structure géométrique forte en bandes monochromes superposées qui suggèrent un monde stable et ordonné. Une image idéale troublée par l'attitude concentrée de la figure qui regarde au loin et dont la présence confère sa dimension métaphysique au tableau.

metaphysical nostalgia with De Chirico, the path of the sublime with Martial Raysse, and the path of nothingness with Mark Rothko. In 1913, Apollinaire noted the "strangely metaphysical" paintings presented by De Chirico in his Paris studio and greeted the whole originality of an "interior and cerebral art". He paid tribute to the poet's gift as a critic, but the *Premonitory Portrait of Guillaume Apollinaire* (1914) announced his tragic end as a result of injuries incurred at the front, in November 1918, by depicting him in the form of a target silhouetted in black, duplicating another image of a debased poet, the image of a blind plaster Homer, embodying the solitude and fate of the Chosen Ones. The haunted and oppressive cube of the composition, disturbed by the disconcerting presence of unusual objects heightening its mystery, illustrates his disenchanted vision of the world, inherited from the radical pessimism of Nietzsche and Schopenhauer.
Mark Rothko, another great reader of Nietzsche and *The Birth of Tragedy*, spent all his life trying to express the "truth of the artist"–the title of his book-cum-confession of faith–, through a demanding kind of painting, based exclusively on the presence of colour alone and the disappearance of the figure, painting which attracts the eye and gaze by its immediate physical presence (*N° 14 [Browns over Dark]*, 1963). His conviction that abstraction was the only possible way out ("Abstract painting is the painting of its time") was combined with an awareness of the inevitable tragic character of all artistic ambition. Nostalgic for the order and purity of antiquity, jealous of the power of the Renaissance artists, and suffering "from dispatching into the world" his timeless and vulnerable works, he put an end to his life in 1970.

It was through the tradition of the philosophical landscape that Martial Raysse and Peter Doig questioned the image and the rehabilitation of painting. Raysse, who was one of the founder members of the New Realism Group in 1960 and the most brilliant representative of French Pop Art, forged links with figuration in the 1970s. The monumental format of *Ceux du maquis* (1992) confirmed his ambition as a history painter in the tradition of Poussin. The ambivalent title of the painting may refer to the French Resistance during the last war or to the resistance of an artistic bastion. According to Raysse, it refers to an allegory of cowardice, embodied by an infinite space where the figures are lost, a symbol of the human condition in its constant confrontation with the unknown and History. Conversely, Doig's no less impressive landscape, *100 Years Ago* (2001), puts man at the centre of his composition constructed by means of a powerful geometric structure with overlaid monochrome stripes suggesting a stable and orderly world. An ideal image perturbed by the concentrated attitude of the figure looking in to the distance, whose presence lends the picture its metaphysical dimension.

La part maudite

La mélancolie touche à l'histoire, à l'art, à la littérature mais aussi à la religion et à la psychiatrie ainsi que la philosophie anti-idéaliste de Georges Bataille le prouve. Selon Bataille, elle englobe le dégoût universel et témoigne de la perte de Dieu. Récusant toute morale, il axe sur l'idée de transgression (par le sacrifice et l'orgie) sa conception mystique du monde confirmée dans *La Part maudite*, en 1949. Dès 1929, ses articles de la revue *Documents*, placés sous la triple référence de Sade, Fourier et Nietzsche, amorcent son concept de l'"hypermorale". Ils sont illustrés par des photographies extrêmement violentes d'Eli Lotar sur les abattoirs de la Villette ou de Jacques-André Boiffard (*Gros Orteil, sujet masculin, 30 ans*, 1929), qui lui permettent de revenir sur les notions de sacré confondu avec le sacrifice, de sexualité avec l'ignominie. Son esthétique de l'informe et du réalisme absolu va trouver de larges échos dans l'iconographie du sordide, de la saleté, de la pourriture et de l'animalité qui hante l'art contemporain. Le plâtre peint, couvert de fausses mouches, de la sculpture *Torture-morte* (1959) de Marcel Duchamp, pourrait ainsi passer pour un commentaire ironique du légendaire article de Bataille sur "Le gros orteil"[2] qui faisait l'éloge du fétichisme. On retrouve en effet dans ce moulage du pied de l'artiste, enfermé dans une boîte qui évoque un ex-voto ou une relique, la fascination de l'écrivain pour la torture, la religion et la mort. Également conçu comme un reliquaire morbide et monstrueux, *La Vie à pleines dents* d'Arman (1960) contient des dentiers entassés dans un écrin. La force hallucinatoire de ces restes de cadavres répercute le caractère sacrilège et ignoble de la théorie du crachat de Bataille, mais leur violence insoutenable est surtout liée à la remémoration d'Auschwitz. De même, la sanguinolente vanité de Jana Sterback, *Vanitas : robe de chair pour albinos anorexique* (1987), qui se présente comme un mannequin décapité recouvert d'une robe taillée avec des bavettes de viande de bœuf crues, parées et cousues, renvoie à la célébration du sacrifice et de l'abattoir élaborée dans *Acéphale* et *Documents*, qui annonçait le triomphe de la Mort.

The Accursed Share

Melancholy affects history, art and literature, as well as religion and psychiatry, as the anti-idealist philosophy of Georges Bataille shows. According to Bataille, it encompasses universal disgust and attests to the loss of God. Challenging all morality, it is on the idea of transgression (through sacrifice and orgy) that he focuses his mystical conception of the world as asserted in *The Accursed Share* in 1949. In 1929, his articles for the magazine *Documents*, penned beneath the three-fold reference of Sade, Fourier and Nietzsche, triggered his concept of "hypermorality". They were illustrated by extremely violent photographs taken by Eli Lotar of the La Villette slaughterhouse, and others by Jacques-André Boiffard (*Big Toe, male subject, 30 years old*, 1929) which helped him to return to notions of sacredness, confused with sacrifice, and sexuality with ignomiry. His aesthetics of the formless and absolute realism would be widely echoed in the iconography of sordidity, dirtiness, rottenness and animality haunting contemporary art. The painted plaster model, covered with phony flies, of Marcel Duchamp's sculpture *Torture morte* (1959) could thus pass for an ironical comment on Bataille's legendary article about "The Big Toe"[2], which sang the praises of fetishism. The writer's fascination with torture, religion and death actually recurs in this cast of the artist's foot, enclosed in a box evoking an ex-voto or a relic. Likewise conceived as a morbid and monstrous reliquary, Arman's *La Vie à pleines dents* (1960) contains dentures heaped in a box. The hallucinatory power of these remains of corpses has repercussions on the sacrileges and ignoble character of Bataille's theory of spit, but their unbearable violence is above all associated with recalling Auschwitz. Likewise, the blood-streaked still life by Jana Sterback, *Vanitas: robe de chair pour albinos anorexique / Stillife: Flesh Dress for Anorexic Albino* (1987), which is presented as a headless dummy covered with a dress trimmed with raw sirloins of beef, decorated and stitched, refers to the celebration of sacrifice and slaughterhouse described in *Acéphale* and *Documents*, which announce the triumph of Death.

Translated in English by Simon Pleasance

1. Alberto Giacometti, "Derain", *Derrière le miroir*, nº 94-95, février 1957.
2. Georges Bataille, "Le gros orteil", *Documents*, vol. 1, nº 6, novembre 1929, p. 297-302.

1. Alberto Giacometti, "Derain", *Derrière le miroir*, nº 94-95, February 1957.
2. Georges Bataille, "Le gros orteil", *Documents*, vol. 1, nº 6, November 1929, p. 297-302.

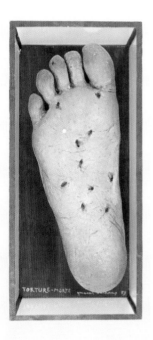

Marcel Duchamp, Torture-morte, 1959

Georges Tony Stoll, Ma main, ta main, 1997

Arman, La Vie à pleines dents, 1960

Nathan Lerner, Brown's Face, Focused View for Camera, 1939

Fernand Léger, Quartier de mouton, 1933

Jana Sterbak, Vanitas : robe de chair pour albinos anorexique, 1987

André Derain, Portrait d'Iturrino, 1914

Otto Dix, La Journaliste Sylvia von Harden, 1926

Cindy Sherman, Untitled, # 141, 1945

Christian Schad,
Portrait du comte St-Genois d'Anneaucourt, 1927

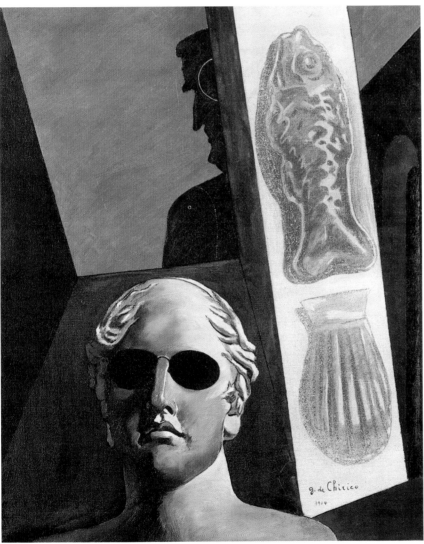

Aldo Rossi, Composition avec le Théâtre du monde, Venise, 1982

Giorgio De Chirico, Portrait prémonitoire de Guillaume Apollinaire, 1914

Henri Matisse, La Tristesse du roi, 1952

Martial Raysse, Ceux du maquis, 1992

Peter Doig, 100 Years Ago, 2001

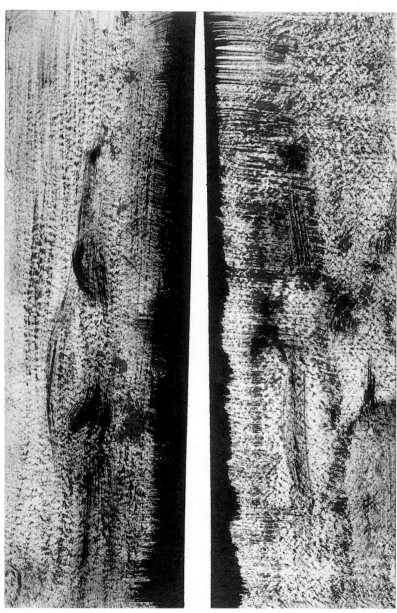

Barnett Newman, Untitled (The Break), 1946

Gerhard Richter, Grau nº 349, 1973

Mark Rothko, Nº 14 (Browns over Dark), 1963

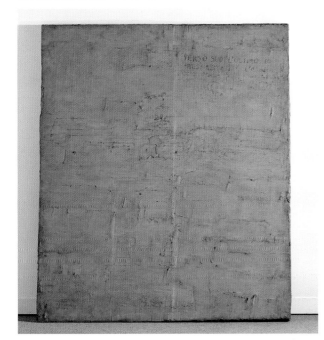

Alighiero Boetti, Sans titre (Verso sud, l'ultimo dei paesi abitati e l'Arabia…), 1968

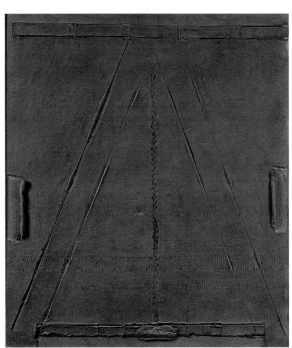

Antoni Tàpies, Grand Triangle marron, 1963

**T. S. Eliot, " Les Hommes creux ",
dans *Poésie*,**
trad. de l'anglais par Pierre Leyris, Paris, Le Seuil, 1957,
p. 106-113.

LES HOMMES CREUX
Un penny pour le vieux Guy

I

Nous sommes les hommes creux
Les hommes empaillés
Cherchant appui ensemble
La caboche pleine de bourre. Hélàs !
Nos voix desséchées, quand
Nous chuchotons ensemble
Sont sourdes, sont inanes
Comme le souffle du vent parmi le chaume sec
Comme le trottis des rats sur les tessons brisés
Dans notre cave sèche.

Silhouette sans forme, ombre décolorée,
Geste sans mouvement, force paralysée ;

Ceux qui s'en furent
le regard droit, vers l'autre royaume de la mort
Gardent mémoire de nous – s'ils en gardent –
non pas
Comme de violentes âmes perdues, mais
seulement
Comme d'hommes creux
D'hommes empaillés.

II

Les yeux que je n'ose pas rencontrer dans les
rêves
Au royaume de rêve de la mort
Eux, n'apparaissent pas :
Là, les yeux sont
Du soleil sur un fût de colonne brisé
Là, un arbre se balance
Et les voix sont
Dans le vent qui chante
Plus lointaines, plus solennelles
Qu'une étoile pâlissante.

Que je ne sois pas plus proche
Au royaume de rêve de la mort
Qu'encore je porte
Pareils francs déguisements : robe de rat,
Peau de corbeau, bâtons en croix
Dans un champ
Me comportant selon le vent
Pas plus proche –

Pas cette rencontre finale
Au royaume crépusculaire.

III

C'est ici la terre morte
Une terre à cactus
Ici les images de pierre
Sont dressées, ici elles reçoivent
La supplication d'une main de mort
Sous le clignotement d'une étoile pâlissante.
Est-ce ainsi
Dans l'autre royaume de la mort :
Veillant seuls

À l'heure où nous sommes
Tremblants de tendresse
Les lèvres qui voudraient baiser
Esquissent des prières à la pierre brisée.

IV

Les yeux ne sont pas ici
Il n'y a pas d'yeux ici
Dans cette vallée d'étoiles mourantes
Dans cette vallée creuse
Cette mâchoire brisée de nos royaumes
perdus

En cet ultime lieu de rencontre
Nous tâtonnons ensemble
Évitant de parler
Rassemblés là sur cette plage du fleuve
enflé

Sans regard, à moins que
Les yeux ne reparaissent
Telle l'étoile perpétuelle
La rose aux maints pétales
Du royaume crépusculaire de la mort
Le seul espoir
D'hommes vides

V

*Tournons autour du fi-guier
De Barbarie, de Barbarie
Tournons autour du fi-guier
Avant qu'le jour se soit levé.*

Entre l'idée
Et la réalité
Entre le mouvement
Et l'acte
Tombe l'Ombre
                    Car Tien est le Royaume
Entre la conception
Et la création
Entre l'émotion
Et la réponse
Tombe l'ombre
                    Car Tien est le Royaume
Entre le désir
Et le spasme
Entre la puissance
Et l'existence
Entre l'essence
Et la descente
Tombe l'Ombre
                    Car Tien est le Royaume
Car Tien est
La vie est
Car Tien est

*C'est ainsi que finit le monde
C'est ainsi que finit le monde
C'est ainsi que finit le monde
Pas sur un boum, sur un murmure.*

Jean-Paul Sartre, *Esquisse*
d'une théorie des émotions [1938],
Paris, Hermann, 1995, p. 46-47.

"La tristesse passive est caractérisée,
on le sait, par une conduite d'accablement ;
il y a résolution musculaire, pâleur,
refroidissement des extrémités ; on se
tourne vers une encoignure et on reste
assis, immobile, en offrant au monde
le moins de surface possible. On préfère
la pénombre à la pleine lumière, le silence
aux bruits, la solitude d'une chambre
à la foule des lieux publics ou des rues.
'Pour rester seul, dit on, avec sa douleur'.
Cela n'est point vrai ; il est de bon ton,
en effet, de paraître méditer profondément
sur son chagrin. Mais les cas sont assez
rares où l'on chérit vraiment sa douleur.
La raison est tout autre : une des conditions
ordinaires de notre action ayant disparu,
le monde exige de nous que nous agissions
en lui et sur lui *sans elle*. La plupart
des potentialités qui le peuplent (travaux *à*
faire, gens *à* voir, actes de la vie quotidienne
à accomplir) sont demeurés les mêmes.
Seulement les moyens pour les réaliser,
les voies qui sillonnent notre 'espaces
hodologique' ont changé. Par exemple,
si j'ai appris ma ruine, je ne dispose plus
des mêmes moyens (auto privée, etc.) pour
les accomplir. Il faut que je leur substitue
des intermédiaires nouveaux (prendre
l'autobus, etc.) ; c'est là précisément ce que
je ne veux point. La tristesse vise à
supprimer l'obligation de chercher ses
nouvelles voies, de transformer la structure
du monde en remplaçant la constitution
présente du monde par une structure
totalement indifférenciée. Il s'agit en somme
de faire du monde une réalité affectivement
neutre, un système en équilibre affectif
total, de décharger les objets à forte charge
affective, de les amener tous au zéro affectif
et, par là même, de les appréhender
comme parfaitement équivalents et
interchangeables. Autrement dit, faute
de pouvoir et de vouloir accomplir les
actes que nous projetions, nous faisons
en sorte que l'univers n'exige plus rien
de nous. Nous ne pouvons pour cela qu'agir
sur nous-mêmes, que nous 'mettre en
veilleuse' – et le corrélatif noématique de
cette attitude c'est ce que nous appellerons
le *Morne* : l'univers est morne, c'est-à-dire :
à structure indifférenciée. En même temps
cependant, nous prenons naturellement
la position repliée, nous nous 'blottissons'.
Le corrélatif noématique de cette attitude
est le *Refuge*. L'univers tout entier est
morne mais précisément parce que nous
voulons nous protéger de sa monotonie
effrayante et illimitée, nous constituons
un lieu quelconque en 'coin'. C'est la seule
différenciation dans la monotonie totale
du monde : un pan de mur, un peu
d'obscurité qui nous dissimule son
immensité morne."

RÉENCHANTEMENT
RE-ENCHANTMENT

Kiki Smith, Lying with the Wolf, 2001

RÉENCHANTEMENT
Camille Morineau

Non, ce ne sont pas les années 1990 qui, pour faire contrepoids au cynisme postmoderne, ont au gré de quelques grandes expositions aux titres enthousiastes ("Et tous ils changent le monde", "D'un Art, l'Autre", "La Beauté") et publications utopiques, inventé le réenchantement. C'est au contraire une figure née avec le siècle, en même temps que grondait la violence urbaine, se succédaient les guerres mondiales et leurs différentes formes de déshumanisation, et que disparaissait simultanément l'espoir et le désespoir. "Certains disent que la vie est impossible sans espérance, et d'autres qu'avec l'espoir, la vie est vide. Pour moi, qui aujourd'hui n'espère ni ne désespère, la vie est un simple cadre extérieur, qui m'inclut moi-même, et à laquelle j'assiste comme à un spectacle dépourvu d'intrigue, fait pour le seul plaisir des yeux." Réenchantement du vide par les mots, de la solitude par son commentaire, *Le Livre de l'intranquillité* de Fernando Pessõa se dessine à l'aube du XXᵉ siècle comme un phare qui nous éclaire encore aujourd'hui de sa lumière imperceptible et tenace.

Le réenchantement, c'est d'abord l'acceptation de l'incompréhensible, ensuite un léger déplacement par où la poésie se glisse, entre destruction et création, pour proposer *encore* autre chose. C'est Henri Matisse, passant de Paul Cézanne au pointillisme, puis sautant dans l'étrange jubilation mythique de *Luxe, calme et volupté* (1904) ; c'est Picasso qui, arrivé au bout de la destruction des forces, de l'effacement des couleurs avec le cubisme synthétique, fait exploser tout le système de la peinture en y collant en 1912 un bout de papier ; c'est Hans Arp qui, après avoir proclamé dans sa période Dada, "dans l'assassinat seul, l'homme est créateur", décline dans les années 1920-1930 des poèmes-tableaux où plantes, visages, paysages se rejoignent au-delà de la différence entre abstraction et figuration. C'est Miró qui, après avoir voulu "donner au spectateur ce coup en plein visage qui doit l'atteindre avant que la réflexion n'intervienne", peint en pleine guerre les *Constellations*, comme si l'histoire n'existait plus, comme si le ciel était à réinventer.

RE-ENCHANTMENT
Camille Morineau

No, it was not the 1990s which, to counter postmodern cynicism, invented re-enchantment, by way of one or two major exhibitions with enthusiastic titles ("Et tous ils changent le monde/And They Are All Changing the World", "D'un Art, L'Autre/From One Art, the Other", "La Beauté/Beauty") and utopian publications. Quite to the contrary, it was a figure who was born with the century, at a time when there was the rumble of urban violence, and the succession of world wars and their different forms of dehumanization, a time when hope and despair disappeared simultaneously. "There are some who say that life is impossible without hope, and others that, with hope, life is empty. For me, who nowadays neither hopes nor despairs, life is a simple outward frame, which includes myself, and which I attend like a spectacle devoid of plot, designed for the sole pleasure of the eye." As a re-enchantment of the void by words, and of solitude by a commentary thereupon, Fernando Pessõa's *The Book of Disquiet* came across at the dawn of the 20th century like a beacon which still casts light upon us today, an imperceptible and tenacious light.

Re-enchantment is first and foremost an acceptance of the incomprehensible, followed by a slight displacement into which slides poetry, somewhere between destruction and creation, proposing something else again. There was Henri Matisse, shifting from Paul Cézanne to Pointillism, and then leaping into the strange mythical joyousness of *Luxe, calme et volupté* (1904); there was Picasso who, having reached the end of the destruction of forces and the obliteration of colours with synthetic Cubism, shattered the whole system of painting by sticking a scrap of paper onto a painting in 1912; there was Hans Arp who, after proclaiming in his Dada period: "in murder alone, man is a creator", produced in the 1920s and 1930s picture-poems in which plants, faces, and landscapes were joined together somewhere beyond the gap between abstraction and figuration. And there was Miró who, after wanting "to give the spectator a slap right in the face, which should reach him before he has a chance to think", painted, at the height of the war, the *Constellations*, as if history no longer existed, and as if the sky had to be reinvented.

For the artist is not of his time. Placed outside the past by modernism, the only thing remaining for him to think about in terms of the future is a premonitory madness, a hallucinatory daydream. The *Premonitory Portrait of Guillaume Apollinaire* (1914) by De Chirico is not only a tribute to the poet who championed the artists of his day, it is a tribute to poetry, period—and one which goes beyond the challenges of Surrealism. In it, figuration shakes off its taboos, and time shakes off its contradictions and aporias. The "Melancholy Watchman" wearing dark glasses, either blinded or blind, is as much the portrait of the poet as an allegory. The artist, who was an apologist for the disenchantment of the previous century, was entrusted with the task, in the 20th century, sometimes at great risk to his own life, of becoming a prophet of re-enchantment. He had to rethink the unacceptable,

Car l'artiste n'est pas de son temps : mis hors du passé par le modernisme, il ne lui reste pour penser le futur qu'une folie prémonitoire, une rêverie hallucinatoire. Le *Portrait prémonitoire de Guillaume Apollinaire* (1914) de De Chirico n'est pas seulement un hommage au poète qui défend les artistes de son temps, c'est un hommage à la poésie tout court, qui dépasse les enjeux du surréalisme. La figuration s'y libère de ses tabous, le temps de ses apories. Le "Guetteur mélancolique" aux lunettes noires, aveuglé ou aveugle, c'est aussi bien le portrait du poète qu'une allégorie. L'artiste, qui était chantre du désenchantement au siècle précédent, est chargé au xxᵉ siècle, quelquefois au péril de sa vie, de devenir prophète du réenchantement. Il lui faut repenser l'inacceptable, décrire ce qui se dérobe au regard, faire parler ce qui se tait, rendre à la peur son cri, à la laideur son sourire, enfin chanter comme le fait Apollinaire, " l'oraison innombrable de la vie qui se grise / Qui veut vivre et mourir dans l'amour et l'effroi / Les usines sont plus hautes que les églises / Et les villes le jour ce sont des soleils froids ".

Cette lourde tâche n'est pas sans risque. Même sans espoir d'au-delà et précisément avec cette terreur là, l'artiste s'offre comme victime expiatoire : de la crucifixion de Francis Bacon au triptyque vide de Richard Artschwager, l'absence de sacré n'est pas un silence, mais bien un appel. L'artiste est prêt à se donner corps et âme au service d'une peinture en perdition (Jean Fautrier, Jean Hélion, Jean-Michel Alberola), d'un art mort-né (Arnulf Rainer, Antonio Saura), de tragédies de la Seconde Guerre mondiale (actionnisme viennois). L'artiste n'est pas seulement l'instrument de la rédemption, c'est aussi un passeur, un médiateur, un médium, un professeur (Joseph Beuys), un penseur de l'inutile (Robert Filliou), un prophète ou clown (Urs Lüthi), en tout cas exemplaire car délivrant un message qui ne sera pas compris.

Mettre à jour puis libérer l'invisible : les procédés de réenchantement sont multiples. Le sublime en fut un, les autres furent révélés par l'extraordinaire exposition d'objets surréalistes de la galerie Charles Ratton en 1936 : le quotidien (readymade), le primitif (objet sauvage), le scientifique (objet mathématique), l'interactif (l'objet trouvé interprété), l'installation dans son entier, enfin l'exposition elle-même comme lieu de réenchantement, ainsi que la commente André Breton : "Cette étrange exposition […] nous montre non le dernier, mais le premier stade de l'énergie poétique que l'on trouve un peu partout à l'état latent mais qu'il s'agissait une fois de plus de révéler."

Conçues dès le début du siècle avec Dada, ces expositions d'art contemporain initiatrices connaissent aujourd'hui une nouvelle vogue. Elles sont d'autant plus spectaculaires qu'elles reposent en grande partie sur des installations monumentales, d'autant plus sidérantes qu'elles fonctionnent sur le même registre. L'histoire spécifique de "Big Bang", c'est que le témoin y est aussi nécessaire que le crime : visiteurs du musée, vous allez être *regardés* par des œuvres que vous avez cru seulement voir ; vous allez être désirés et détruits, dans un lieu autre où l'égarement peut devenir un plaisir, où la souffrance peut évoquer une rédemption.

describe things which elude the eye, get silent things talking, give fear back its cry, and ugliness its smile, and lastly hymn, as Apollinaire did, "the countless oration of life which is carried away/Which wishes to live and die in love and dread/Factories are taller than churches/And cities by day are cold suns".

This weighty task is not without risk. Even without any hope of the hereafter, and precisely with this particular dread, the artist offers himself as an expiatory victim: from Francis Bacon's crucifixion, to Richard Artschwager's empty triptych, the absence of sacredness is not a silence but rather a summons. The artist is prepared to give himself body and soul in the service of a painting on the road to perdition (Jean Fautrier, Jean Hélion, Jean-Michel Alberola), of a stillborn art (Arnulf Rainer and Antonio Saura), and of Second World War tragedies (Viennese Actionism). The artist is not only the instrument of redemption, he is also a ferryman, a mediator, a go-between, a medium, and a teacher (Joseph Beuys), a thinker of the futile (Robert Filliou), and a prophet and clown (Urs Lüthi), in any event exemplary because he is delivering a message which will not be understood.

Updating and then liberating the invisible: the processes of re-enchantment are many and varied. One such was the sublime, while the others were revealed by the extraordinary exhibition of Surrealist objects on view in the Charles Ratton Gallery in 1936: the humdrum/everyday (readymade), the primitive (wild object), the scientific (mathematical object), the interactive (the found object interpreted), the installation in its entirety, and lastly the exhibition itself as a place of re-enchantment (as commented upon by André Breton): "This strange exhibition […] shows us not the last, but the first stage of poetic energy which we find a bit here, there and everywhere in the latent state, but which it was once again a matter of revealing."

These initiatory exhibitions of contemporary art, conceived at the beginning of the 20th century with Dada, are currently enjoying a new vogue. They are all the more spectacular because they are based largely on monumental installations, which are all the more stunning because they function in the same key. The specific history of "Big Bang" is that the witness to it is as necessary as the crime: as visitors to the Museum, you will be looked at by works which you thought you had come just to see; you will be desired and destroyed, in a different place where confusion may become a pleasure, and where suffering may conjure up a redemption.

C'est pourquoi l'aventure de "Big Bang" se termine par cette autre surprise du siècle qu'est le réenchantement. Que deux œuvres contemporaines puissent en résumer la richesse signifie l'ouverture décisive des collections vers l'art vivant et ses créations les plus ambitieuses. Que l'une propose un passage (et le nomme par son titre), l'autre une contemplation, résume aussi les deux faces de l'expérience qui font de la visite des collections un réenchantement : la promenade et l'arrêt, la rêverie et l'attention, mais aussi le texte et l'image, la projection fixe et l'image en mouvement, le lieu mental et l'installation spectaculaire.

Le texte qui compose les tapis de raphia suspendus au plafond dans *Passage II* de Cristina Iglesias est quasiment illisible. L'extrait de *Vathek* de William Beckford, où un prince est charmé par un magicien, suscite certes la curiosité mais tenter de le lire provoque aussitôt le vertige, car il s'agit de passer sous l'œuvre, de traverser le texte, d'en être couvert, imprégné de sa lumière et aveuglé en quelque sorte par son inaccessibilité. Le chemin tracé est à la fois libre, révélateur et mystérieux, littéral et métaphorique : le passage est déplacement mais aussi transformation, comme pourrait ou devrait être une visite au musée.

Five Angels for the Millennium (2001) de Bill Viola est l'une de ses installations les plus monumentales. Elle répond à un manque que l'artiste, érudit de toutes religions confondues, a observé et qu'il s'applique à combler : "Notre culture a évacué le lieu de la contemplation. Il n'existe pas de lieu officiellement consacré à l'expérience subjective dans notre culture. L'art y pourvoit." "Messagers entre le monde spirituel et celui de la conscience", cinq anges ("Creation", "Ascending", "Fire", "Departing", "Birth") émergent ou plongent, successivement au ralenti ou en accéléré dans l'eau. Le son amplifié, les images monumentales, la taille de la pièce et enfin la pénombre, tout concourt à nous faire vivre une expérience de tous les sens, où la vie et la mort, la flamme et l'eau, la chute et l'élévation sont enfin réunies.

Que l'art apporte un plaisir mortel mais aussi une possible résurrection, n'a jamais été mieux exprimé que par Proust. Alors qu'il était très malade, sa visite à l'exposition "Vermeer" au Musée du Jeu de Paume, en 1921, lui provoqua un violent malaise. Il ne survécut qu'un an après cet évènement dont il s'inspira dans *La Prisonnière* pour décrire la mort de Bergotte : "On l'enterra, mais toute la nuit funèbre, aux vitrines éclairées, ses livres, disposés trois par trois, veillaient comme des anges aux ailes déployées et semblaient, pour celui qui n'était plus, le symbole de sa résurrection."

This is why the "Big Bang" adventure winds up with the century's other surprise, re-enchantment. The fact that two contemporary works can sum its richness points to the decisive openness of collections to living art and its most ambitious works. The fact that one proposes a passage (and calls it by its title), and the other a contemplation, thus encapsulates the two faces of the experience which turn a visit to the collections into re-enchantment: strolling and stopping, daydream and attentiveness, but also text and image, fixed projection and moving image, mental place and spectacular installation.

The text composed by the raffia rugs suspended on the ceiling in Cristina Iglesia's *Passage II* is almost illegible. William Beckford's extract from *Vathek*, in which a prince is spellbound by a magician, undoubtedly arouses curiosity, but any attempt to read it immediately causes dizziness, because what is involved is passing beneath the work, traversing the text, being covered and steeped in its light, and in a way blinded by its inaccessibility. The path drawn is at once free, revealing and mysterious, literal and metaphorical: the passage is displacement but also transformation, as any visit to the Museum might or should be.

Bill Viola's *Five Angels for the Millennium* (2001) is one of his most monumental installations. It responds to a lack which the artist, whose erudition encompasses all religions willy-nilly, has observed and striven to make up for: "Our culture has evacuated the place of contemplation. There no longer exists any place officially dedicated to subjective experience in our culture. Art provides it." As "messengers between the spiritual world and the world of consciousness", five angels ("Creation", "Ascending", "Fire", "Departing", "Birth") either emerge or plunge into the water by turns in slow motion and speeded up. The amplified sound, the monumental images, the size of the piece and last of all the twilight, all help us to have an experience involving all our senses, where life and death, flame and water, falling and rising are finally brought together.

The fact that art provides mortal pleasure as well as possible resurrection has never been better expressed than by Proust. When he was very ill, his visit to the "Vermeer" exhibition in the Jeu de Paume Museum, in 1921, caused him violent attack. He continued to live for just one year after this event, and used it for inspiration in *La Prisonnière*, to describe the death of Bergotte: "He was buried, but throughout the funereal night, with its illuminated windows, his books arranged in threes kept watch like angels with wings spread, and seemed, for the person who was no longer, the symbol of her resurrection."

Translated in English by Simon Pleasance

Bill Viola, Five Angels for the Millennium, 2001

Cristina Iglesias, Untitled (Passage II), 2002

James Joyce, *Ulysse* [1936],

Nouvelle traduction sous la direction de Jacques Aubert, Paris, Gallimard, 2004, p. 697-698 © Succession James Joyce, 1936 :

"ah ils savent pas moi non plus et alors qu'est-ce que ça change ils pourraient bien encore essayer d'empêcher le soleil de se lever demain le soleil c'est pour toi qu'il brille il me disait le jour où on était allongés au milieu des rhododendrons à la pointe de Howth avec son costume de tweed gris et son chapeau de paille le jour où je l'ai poussé à me demander en mariage oui d'abord je lui ai donné le morceau de gâteau à l'anis que j'avais dans la bouche et c'était une année bissextile comme maintenant oui il y a seize ans mon dieu après ce long baiser je pouvais presque plus respirer oui il a dit que j'étais une fleur de la montagne oui c'est ça nous sommes toutes des fleurs le corps d'une femme oui voilà une chose qu'il a dite dans sa vie qui est vraie et le soleil c'est pour toi qu'il brille aujourd'hui oui c'est pour ça qu'il me plaisait parce que j'ai bien vu qu'il comprenait qu'il ressentait ce que c'était qu'une femme et je savais que je pourrais toujours en faire ce que je voudrais alors je lui ai donné tout le plaisir que j'ai pu jusqu'à ce que je l'amène à me demander de dire oui et au début je voulais pas répondre je faisais que regarder la mer le ciel je pensais à tant de choses qu'il ignorait à Mulvey à M. Stanhope à Hester à père au vieux capitaine Groves et aux marins qui jouaient au poker menteur et au pouilleux déshabillé comme ils appelaient ça sur la jetée et à la sentinelle devant la maison du gouverneur avec le truc autour de son casque blanc pauvre vieux tout rôti et aux petites Espagnoles qui riaient avec leurs châles et leurs grands peignes et aux ventes aux enchères le matin les Grecs les juifs les Arabes et dieu sait qui d'autre encore des gens de tous les coins de l'Europe et Duke street et le marché aux volailles toutes glouissantes devant chez Larby Sharon et les pauvres ânes qui trébuchaient à moitié endormis les vagues gens qui dormaient dans leurs manteaux à l'ombre sur les marches les grandes roues des chars de taureaux et le vieux château vieux de milliers d'années oui et ces Maures si beaux tout en blanc avec des turbans comme des rois qui vous invitaient à vous asseoir dans leurs toutes petites boutiques Ronda et leurs vieilles fenêtres des posadas 2 yeux brillants cachés dans un treillis pour que son amant embrasse les barreaux et les cabarets entrouverts la nuit et les castagnettes et le soir où on a raté le bateau à Algésiras le veilleur qui faisait sa ronde serein avec sa lampe et O ce torrent effrayant tout au fond O et la mer la mer cramoisie quelquefois comme du feu et les couchers de soleil en gloire et les figuiers dans les jardins d'Alameda oui et toutes les drôles de petites ruelles les maisons roses bleues jaunes et les roseraies les jasmins les géraniums les cactus et Gibraltar quand j'étais jeune une Fleur de la montagne oui quand j'ai mis la rose dans mes cheveux comme le faisaient les Andalouses ou devrais-je en mettre une rouge oui et comment il m'a embrassée sous le mur des Maures et j'ai pensé bon autant lui qu'un autre et puis j'ai demandé avec mes yeux qu'il me demande encore oui et puis il m'a demandé si je voulais oui de dire oui ma fleur de la montagne et d'abord je l'ai entouré de mes bras oui et je l'ai attiré tout contre moi comme ça il pouvait sentir tout mes seins mon odeur oui et son cœur battait comme un fou et oui j'ai dit oui je veux Oui."

Emmanuel Lévinas, *De Dieu qui vient à l'idée,*

ch. III, " Le Sens de l'être ", §7 " Le droit d'être ", Paris, Librairie Philosophique J. Vrin, " Bibliothèque des textes philosophiques, 1982, p. 253-254.

"Visage, par delà la manifestation et le dévoilement intuitif. Visage comme à-Dieu, naissance latente du sens. L'énoncé apparemment négatif de l'à-Dieu ou de la signification, se détermine ou se concrétise comme responsabilité pour le prochain, pour l'autre homme, pour l'étranger, à laquelle, dans l'ordre rigoureusement ontologique de la chose – du quelque chose, de la qualité, du nombre et de la causalité – rien n'oblige. Régime de l'autrement qu'être. La compassion et la sympathie auxquelles on voudrait réduire, comme à des éléments de l'ordre naturel de l'être, la responsabilité pour le prochain, sont déjà sous le régime de l'à-Dieu. La signification, l'à-Dieu, le-pour-l'autre – concrets dans la proximité du prochain – ne sont pas une quelconque privation de la vision, une intentionalité vide, une pure visée ; ils sont la transcendance qui peut être rend seulement possible toute intuition, toute intentionalité et toute visée. Ce qu'on continue d'appeler 'identité du moi' n'est pas originairement une confirmation de l'identité de l'étant dans son 'quelque chose', n'est pas une quelconque exaltation ou surenchère de cette identité du 'quelque chose' s'élevant au rang d'un 'quelqu'un' ; c'est la 'non-interchangeabilité', l'unicité, l'éthos d'irremplaçable qui, indiscernable, ne s'individue ni par un quelconque attribut ni par quelque 'privation' jouant le rôle de différence spécifique. Éthos d'irremplaçable remontant à cette responsabilité : cette identité du moi ou du 'soi-même' signifie le caractère d'incessible attaché à la responsabilité ; elle tient à son éthique et, ainsi à son élection. Éveil à un psychisme vraiment humain, à une interrogation qui, derrière la responsabilité et comme son ultime motivation, est une question sur le droit d'être, si précaire ou si assurée qu'elle soit de par la mortalité et la finitude de cet être ; mais affecté dans l'hésitation et la pudeur – et peut-être dans la honte d'injustifié qu'aucune qualité ne saurait ni couvrir, ni investir ni camper comme personnage discernable dans sa particularité. Nu en quête d'une identification qui ne peut lui venir que d'une incessible responsabilité. Condition ou in-condition à distinguer des structures signifiant la précarité ontologique de la présence, mortalité et angoisse. Il faut rester attentif à une intrigue de sens autre qu'ontologique et où se met en question le droit même d'être. la 'bonne conscience', allant dans la réflexion sur le moi pré-réflexif jusqu'à la fameuse conscience de soi, c'est déjà le retour du moi éveillé dans la responsabilité – du moi comme *pour-l'autre*, du moi de 'mauvaise conscience' – à son 'intégrité' ontologique, à sa persévérance dans l'être, à sa santé."

entrée/sortie

le corps désenchanté

RÉENCHANTEMENT

Bill Viola : Five Angels for the Millennium

salle

défiguration   la cité abstraite   la grille

transparence   échelle aberrante   le mou

le pli

chaos   **DESTRUCTION**   monochrome

conceptualiser   aléatoire   procédures violent

passage à l'horizontal

CONSTRUCTION / DÉCONSTRUCTION

l'espace géométrique

toilettes

salle blanche   miroir-entropie   éclat

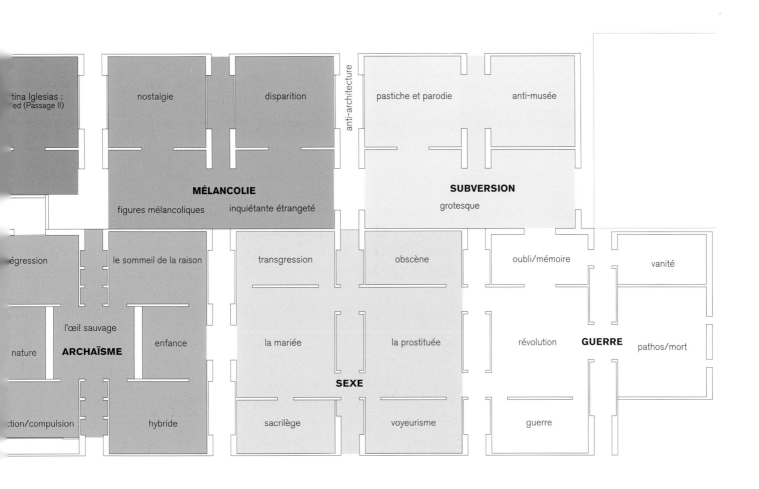

tina Iglesias :
ed (Passage II)

nostalgie

disparition

anti-architecture

pastiche et parodie

anti-musée

MÉLANCOLIE

figures mélancoliques   inquiétante étrangeté

SUBVERSION

grotesque

égression

le sommeil de la raison

transgression

obscène

oubli/mémoire

vanité

l'œil sauvage

nature   **ARCHAÏSME**

enfance

la mariée

la prostituée

révolution   **GUERRE**   pathos/mort

SEXE

tion/compulsion

hybride

sacrilège

voyeurisme

guerre

LISTES DES ŒUVRES REPRODUITES

La liste des œuvres exposées est consultable sur le site www.centrepompidou.fr

Jean-Michel Alberola
Étudier le corps du Christ, 1989-1990
Huile, fusain et pastel sur papier beige
193,5 x 123,4 cm
Achat 1993, AM 1993-156 / ill. **p. 111**

William Alsop, Massimiliano Fuksas, Jean Nouvel, Otto Steidle
Tour européenne, Hérouville-Saint-Clair, Calvados, 1987-1988
Projet non réalisé, maquette de rendu
Plastique et métal
76 x 59 x 144 cm
Don de la Mairie d'Hérouville-Saint-Clair 1994, AM 1995-2-126 / ill. **p. 62**

Ron Arad
This Mortal Coil, 1993
Bibliothèque : acier trempé
Série limitée : 20 exemplaires
Fabricant Marzorati Ronchetti, Italie
227,5 x 218 x 30 cm
Don de la Société Strafor 1999,
AM 1999-1-143 / ill. **p. 57**

Nobuyoshi Araki
Sans titre, vers 1985
Épreuve gélatino-argentique
24 x 33,3 cm
Achat 1998, AM 1998-160 / ill. **p. 107**

Archigram/Dennis Crampton
Computor City [La Cité ordinateur], 1964
Axonométrie
Tirage et feutre de couleur sur film plastique
51 x 84 cm
Achat 1992, AM 1992-1-290 / ill. **p. 66**

Archigram/Ron Herron
Walking City [La Ville ambulante], 1964
Tirage ombré au crayon
59 x 86 cm
Achat 1992, AM 1992-1-280 / ill. **p. 95**

Arman
La Vie à pleines dents, 1960
Résine, métal, bois
18 x 35 x 6 cm
Achat de l'État 1968, attribution 1976,
AM 1976-922 / ill. **p. 152**

Chopin's Waterloo, 1961
Morceaux de piano fixés sur panneau de bois
186 x 302 x 48 cm
Achat 1979, AM 1979-344 / ill. **p. 77**

Jean Arp
Constellation, 1932/1961
Bois peint
29,7 x 32,9 x 6 cm
Achat 1986, AM 1986-157 / ill. **p. 68**

Art and Language
Sans titre, 1973
Métal, papier imprimé, crayons noir et couleur
26,5 x 29 x 61,5 cm
Achat 1991, AM 1991-11 / ill. **p. 66**

Antonin Artaud
Portrait de Jany de Ruy, 2 juillet 1947
Crayon et craies de couleur sur papier
65 x 50 cm
Achat 1987, AM 1987-554 / ill. **p. 93**

Richard Artschwager
Triptych II, 1964
Formica, bois
101,6 x 233,7 x 15,2 cm
Achat 1989, AM 1989-566 / ill. **p. 142**

Balthus
Alice, 1933
Huile sur toile
162,3 x 112 cm
Achat avec l'aide du Fonds du Patrimoine
1995, AM 1995-205 / ill. **p. 106**

Georg Baselitz
Ralf III, 1965
Huile sur toile
100,5 x 80 cm
Achat 1994, AM 1994-103 / ill. **p. 49**

Vincent Beaurin
Noli me tangere, 1994
Pouf
Mousse de polyuréthane souple à peau
45 x 50 x 55 cm
Don du designer 1997, AM 1997-1-5 / ill. **p. 95**

Hans Bellmer
Die Puppe [La Poupée], 1949
Série "Les Jeux de la poupée", 1938-1949
Épreuve gélatino-argentique, coloriée à l'aniline, tirage de 1963
101 x 101 cm
Donation Daniel Cordier 1989,
AM 1989-221 / ill. **p. 107**

Joseph Beuys
Infiltration homogen für Konzertflügel [Infiltration homogène pour piano à queue], 1966
Piano à queue, feutre, tissu
100 x 152 x 240 cm
Achat 1976, AM 1976-7 / ill. **p. 122**

Erwin Blumenfeld
Lisette behind fluted glass [Lisette derrière une vitre cannelée], vers 1943
Dye transfert, tirage de 1984
30 x 24 cm
Achat 1986, AM 1986-83 (8) / ill. **p. 51**

Alighiero Boetti
Sans titre (Verso sud, l'ultimo dei paesi abitati e l'Arabia...), 1968
Enduit acrylique gravé, sur panneau en fibre de bois
185 x 159 x 6 cm
Achat 1991, AM 1991-82 / ill. **p. 159**

Christian Boltanski
Les Archives de Christian Boltanski 1965-1988, 1989
Métal, photographies, lampes et fils électriques
270 x 693 x 35,5 cm
Achat 1989, AM 1989-551 / ill. **p. 91**

Louise Bourgeois
Cumul I, 1968
Marbre blanc
51 x 127 x 122 cm
Achat de l'État 1973, attribution 1976,
AM 1976-933 / ill. **p. 94**

Constantin Brancusi
Princesse X, 1915-1916
Bronze poli
61,7 x 40,5 x 22,2 cm
Legs de Constantin Brancusi 1957,
AM 4002-88 / ill. **p. 94**

Le Nouveau-Né II, 1927
Acier inoxydable
18 x 24,8 x 17 cm
Legs de Constantin Brancusi 1957,
AM 4002-34 / ill. **p. 74**

Georges Braque
Vanitas, 1939
Huile sur toile
38 x 55 cm
Donation de Mme Georges Braque 1965,
AM 4302 P / ill. **p. 126**

Victor Brauner
Force de concentration de Monsieur K., 1934
Huile sur toile, celluloïd, papier, fil de fer
148,5 x 295 cm
Achat sur les arrérages du legs 1991,
AM 1991-47 / ill. **p. 139**

André Breton
Mur de l'atelier
Situé derrière le bureau où travaillait André Breton, dans la deuxième pièce de l'atelier qu'il a occupé rue Fontaine, à Paris, de 1922 à sa mort en 1966, ce mur formé d'un ensemble de quelque deux cents objets et œuvres a été reconstitué à l'identique.
Dation 2003, AM 2003-3 / ill. **p. 90**

Marcel Breuer
Salle à manger réalisée pour Nina et Vassily Kandinsky, Dessau, 1926
Photographie anonyme, 1926
Table avec plateau en bois laqué et piétement en métal tubulaire :
H. 77 cm, diam. 108 cm
6 Chaises
Legs Nina Kandinsky 1981, AM 81-65-917
(1 à 7) / ill. **p. 52**

Glenn Brown
Architecture and Morality [Architecture et morale], 2004
Huile sur medium
140 x 98 cm
Achat 2004, AM 2004-179 / ill. **p. 136**

Günter Brus
Menschenbeschwoerung [Supplication aux hommes], 1984
Crayon, crayons de couleur et craie à la cire sur papier
88,1 x 62,8 cm
Achat 1985, AM 1985-72 / ill. **p. 93**

Daniel Buren
Éclats peints nº 78 Vert Armor, 1985
Peinture sur verre découpé/brisé
287 x 287 cm
Achat 1986, AM 1986-77 / ill. **p. 76**

Alberto Burri
Combustione Plastica, 1964
Polyvinyle calciné
150,5 x 251 cm
Don de l'artiste 1978, AM 1977-555
ill. **p. 77**

Gaston Chaissac
Personnages aux cheveux verts, roses et blancs, vers 1960-1962
Encre noire et papiers peints découpés et collés sur papier kraft collé sur carton
215 x 64,5 cm
Donation Daniel Cordier 1989, AM 1989-268
ill. **p. 87**

John Chamberlain
The Bride [La Mariée], 1988
Tôle chromée et laquée
216 x 120 x 114 cm
Achat 1990, AM 1990-226 / ill. **p. 104**

Francesco Clemente
Codice, 1982
1 Dessin d'un série de 11
Fusain et pastel sur papier
45,7 x 60,8 cm
Achat 1995, AM 1995-201 (11) / ill. **p. 126**

Robert Combas
Mickey appartient à tout le monde, 1979
Acrylique sur Isorel
141 x 80 cm
Achat 1992, AM 1992-65 / ill. **p. 87**

John Currin
The Moroccan [Le Marocain], 2004
Huile sur toile
66,04 x 55,88 cm
Achat 2002, AM 2002-293 / ill. **p. 136**

Dado
Le Cycliste, 1955
Huile sur toile
84,5 x 69 cm
Donation Daniel Cordier 1989, AM 1989-279
ill. **p. 138**

Salvador Dalí
Guillaume Tell, 1930
Huile et collage sur toile
113 x 87 cm
Achat avec l'aide du Fonds du Patrimoine
2002, AM 2002-287 / ill. **p. 108**

John De Andrea
Le Couple, 1971
Acrylique sur polyester et cheveux
H. 173 cm
Don de Mme Odette Plouvier 1978,
AM 1977-565 / ill. p. 100

Giorgio De Chirico
*Portrait prémonitoire de Guillaume
Apollinaire*, 1914
Huile sur toile
81,5 x 65 cm
Achat 1975, AM 1975-52 / ill. p. 155

Willem De Kooning
The Clamdigger [Le Pêcheur de
coquillages], 1972
Bronze
151 x 63 x 54 cm
Achat 1979, AM 1978-735 / ill. p. 44

Robert Delaunay
La Ville nº 2, 1910
Huile sur toile
146 x 114 cm
Achat 1947, AM 2766 P / ill. p. 51

André Derain
Portrait d'Iturrino, 1914
Huile sur toile
92 x 65 cm
Donation Geneviève Galibert 1970,
AM 4575 P / ill. p. 154

Erik Dietman
Dépêche, 2000-2002
Lavis d'encre, aquarelle, crayons gras
de couleur, fusain, feutre, vernis à
ongles et paillettes sur papier marouflé
sur toile
200 x 150 cm
Achat 2004, AM 2004-402 / ill. p. 126

Braco Dimitrijevic
*Triptychos Post Historicus (Triptyque
post-historique ; mère de Romulus &
Remus)*, 1989
Armoire de bureau, noix de coco, huile
sur toile
190 x 89,6 x 50 cm
Achat 1990, AM 1990-241 / ill. p. 141

Otto Dix
*Erinnerung an die Spielgelsäle von
Brüssel* [Souvenir de la galerie
des glaces à Bruxelles], 1920
Huile et glacis sur fond d'argent
sur toile
124 x 80,4 cm
Achat en souvenir de Siegfried Poppe 1999,
AM 1999-178 / ill. p. 105

La Journaliste Sylvia von Harden, 1926
Huile et tempera sur bois
121 x 89 cm
Achat 1961, AM 3899 P / ill. p. 154

Peter Doig
100 Years Ago, 2001
Huile sur toile
240 x 360 cm
Achat 2002, AM 2002-285 / ill. p. 157

Robert Doisneau
*La Mariée sur le tape-cul, Joinville,
chez Gégène*, 1947
Épreuve gélatino-argentique,
tirage de 1977
40,8 x 30,3 cm
Achat de l'État 1986, attribution 1988,
AM 1988-1258 / ill. p. 104

Jean Dubuffet
Le Voyageur sans boussole,
8 juillet 1952
Huile sur Isorel
118,5 x 155 cm
Achat 1976, AM 1976-11 / ill. p. 89

Marcel Duchamp
3 Stoppages-étalon, 1913/1964
Fil, toile, cuir, verre, bois, métal
28 x 129 x 23 cm
Achat 1986, AM 1986-287 / ill. p. 70

L.H.O.O.Q., 1930
Readymade rectifié : crayon graphite
sur héliogravure
61,5 x 49,5 cm
Don de Louis Aragon à Georges Marchais
pour le Parti communiste français, Paris
En dépôt au Musée national d'art moderne
depuis le 15 mars 2005, AM 2005-DEP 2
ill. p. 141

La Boîte verte, 1934
Boîte en carton recouverte de suédine
verte contenant 93 fac-similés de
photos, dessins, notes. Sur la couverture,
le titre : *La / Mariée / mise à nu/
par ses / célibataires / même*
2,5 x 28 x 33,2 cm
Legs de Constantin Brancusi 1957,
AM 4625 D / ill. p. 66

Torture-morte, 1959
Plâtre peint, mouches synthétiques,
papier monté sur bois, dans une boîte
verte
29,5 x 13,5 x 10,3 cm
Dation 1993, AM 1993-122 / ill. p. 152

Marlene Dumas
Mixed Blood [Sang mêlé], 1996
6 dessins
Encre de Chine, aquarelle et gouache
sur papier
62,5 x 50 cm (chaque)
Achat 1997, AM 1997-62 (1-6) / ill. p. 46-47

Charles Eames, Ray Eames
ESU 400, 1950
Étagère : structure en acier trempé
profilé à froid, compartiments et portes
coulissantes en contreplaqué embouti
Éditeur Herman Miller Furniture
Company, États-Unis
Première édition démontable
149 x 119 x 43 cm
Don de M. Alexander von Vegesack 1993,
AM 1993-1-643 / ill. p. 54

Erró
Grimaces, 1962-1967
Film cinématographique 16 mm,
noir et blanc, sonore
Durée : 43'
Achat 1975, AM 1975-F0141 / ill. p. 136

Watercolors in Moscow
[Aquarelles à Moscou], 1975
Huile sur toile
97 x 73,7 cm
Achat 1987, AM 1987-481 / ill. p. 121

Jean Fautrier
Femme douce, 1946
Enduit blanc d'Espagne, blanc de
Meudon, colle, pastel et huile sur toile
97 x 145,5 cm
Achat 1982, AM 1982-12 / ill. p. 89

Robert Filliou
Musique télépathique nº 5, 1976-1978
Métal, carton
Achat 1979, AM 1978-734 / ill. p. 71

Eric Fischl
Strange Place to Park nº 2
[Étrange endroit pour se garer], 1992
Huile sur toile
219 x 249,5 cm
Dépôt du Fonds national d'art contemporain
1994, AM 1994-DEP 151 / ill. p. 141

Dan Flavin
Untitled (Monument for Vladimir Tatlin)
[Sans titre (Monument pour Vladimir
Tatline)], 1975
Tubes fluorescents, métal
304,5 x 62,5 x 12,5 cm
Don de Leo Castelli et de la Georges
Pompidou Art and Culture Foundation 1992,
AM 1992-16 / ill. p. 68

Lucio Fontana
Concetto Spaziale, 1949
Céramique polychrome
60 x 64 x 60 cm
Achat 1994, AM 1994-256 / ill. p. 89

Gérard Fromanger
Le Rouge, 1968
Film cinématographique 16 mm,
couleur, sonore
Durée : 2'30"
Achat 1975, AM 1975-F0157 / ill. p. 121

**Piero Gatti, Cesare Paolini,
Franco Teodoro**
Sacco, 1968
Siège
Sac en vinyle rempli de billes
de polystyrène expansé
Éditeur Zanotta, Italie
100 x 85 x 100 cm
Don de Zanotta 1999, AM 1999-1-176 / ill. p. 73

Alberto Giacometti
Le Nez, 1947
Plâtre peint, corde, métal
82,6 x 77,5 x 36,7 cm
Don de la Succession Aimé Maeght 1992,
AM 1992-358 / ill. p. 132

Femme debout II, 1959-1960
Bronze
275 x 32 x 58 cm
Achat de l'État 1964, attribution 1970,
AM 1707 S / ill. p. 44

Gilbert & George
Praying Garden, 1982
25 panneaux photographiques
cibachromes rehaussés à l'acrylique
Épreuve gélatino-argentique, aniline,
métal
300,3 x 252 cm
Achat 1984, AM 1984-108 / ill. p. 92

Jean Gorin
Maison de bureaux, Nort-sur-Erdre,
1927
Crayon, encre de Chine, lavis
et gouache sur papier
65,3 x 49,8 cm
Don de Jean et Suzanne Gorin 1978,
AM 1978-612 / ill. p. 53

*Construction plastique spatio-temporelle
émanant de la pyramide nº 8*, 1946
Assemblage en bois peint
53,5 x 78,8 x 54,3 cm
Don de l'artiste 1978, AM 1978-558 / ill. p. 53

Composition nº 5 losangique, 1926
Huile sur fibro-ciment
78 x 78 cm
Achat de l'État 1974, attribution 1975,
AM 1975-4 / ill. p. 53

Arshile Gorky
Landscape-Table, 1945
Huile sur toile
92 x 121 cm
Achat 1971, AM 1971-151 / ill. p. 127

George Grosz
*Remember Uncle August, the Unhappy
Inventor* [Souviens-toi de l'oncle
Auguste, le malheureux inventeur], 1919
Huile, crayon, papiers et 5 boutons
collés sur toile
49 x 39,5 cm
Achat 1977, AM 1977-562 / ill. p. 137

Marie-Ange Guilleminot
Mes Poupées, 1993
Vidéo
Bétacam SP, PAL, couleur, son
Durée : 32'
Achat 1996, AM 1995-347 / ill. p. 73

Philip Guston
Ravine, 1979
Huile sur toile
173 x 203 cm
Achat 1998, AM 1997-256 / ill. p. 88

Mona Hatoum
Measures of Distance, 1988
Vidéo
BVU, PAL, couleur, son
Durée : 15'26"
Achat 1990, AM 1990-186 / ill. p. 125

Jacques Herzog & Pierre de Meuron
Galerie Goetz, Munich, 1989-1992
Projet réalisé, maquette d'étude
Bois, verre et carton
61,5 x 122 x 38 cm
Achat 1995, AM 1995-2-202 / **ill. p. 54**

Coop Himmelb(l)au
Complexe d'appartements, Vienne,
1983
Projet non réalisé, maquette d'étude
Carton, bois, papier kraft et tiges
métalliques
48 x 72 x 37 cm
Achat 1993, AM 1995-2-127 / **ill. p. 51**

Hannah Höch
Mutter [Mère], [1925-1926]
Aquarelle et photographies collées
sur papier
41 x 35 cm
Achat 1967, AM 3572 D / **ill. p. 137**

Hans Hollein
Formation urbaine au-dessus de Vienne,
1960
Photomontage
13,8 x 32,7 cm
Achat 1993, AM 1993-1-964 / **ill. p. 88**

Alfred Hrdlicka
*Dankgottesdienst in St Stephan, und
Folterung des Drei Knechte* [Service
divin à la cathédrale Saint-Étienne
et exécution de trois cavaliers], 1983
Fusain, pastel sur papier chiffon
56,4 x 76 cm
Achat 1984, AM 1984-102 / **ill. p. 110**

Cristina Iglesias
Untitled (Passage II), 2002
Raphia tressé, fils
298 x 126 x 1 cm (chaque élément)
Achat 2004, AM 2004-182 / **ill. p. 170-171**

Jörg Immendorff
Alles geht vom Volke aus
[Tout sort du peuple], 1976
Huile sur toile
286 x 286 x 2,8 cm
Achat 2004, AM 2004-102 / **ill. p. 120**

Toyo Ito
*Forum de la musique, de la danse
et de la culture visuelle*, Gand, 2004
Projet non réalisé, maquette de
concours en collaboration avec
Andrea Branzi, architecte
Plastique, bois
35 x 110 x 75 cm
Don de l'architecte 2004, AM 2005-2-5
ill. p. 69

Robert Julius Jacobsen
Graphisme en fer, vers 1951
Fer soudé et peint
70 x 35 x 35 cm
Achat 1976, AM 1976-5 / **ill. p. 69**

Asger Jorn
Femme du 5 octobre, 1958
Huile sur toile
63 x 76 cm
Achat 1978, AM 1978-268 / **ill. p. 86**

Donald Judd
Stack, 1972
Acier inoxydable, plexiglas
470 x 102,5 x 79,2 cm
Achat de l'État 1973, attribution 1980,
AM 1980-412 / **ill. p. 55**

Jean-Paul Jungmann
*Dyodon et constructions pneumatiques
annexes*, 1967
Encre noire rehaussée de crayon noir
sur calque
52 x 98 cm
Achat 2000, AM 2001-2-20 / **ill. p. 139**

Louis Kahn
Projet de tour municipale, Philadelphie,
1952-1957
Projet non réalisé, maquette d'étude
Plastique, métal
114 x 66,7 x 66,7 cm
Achat 1998, AM 1999-2-5 / **ill. p. 57**

Jan Kaplicky
Bulle, 1983
Projet non réalisé, photomontage
59 x 83,7 cm
Achat 1993, AM 1993-1-720 / **ill. p. 143**

André Kertesz
Distorsion nº 60, 1933
Épreuve gélatino-argentique
25,2 x 20,3 cm
Don de l'artiste 1978, AM 1978-145 (1)
ill. p. 74

Paul Klee
Rhythmisches [En rythme], 1930
Huile sur toile
69,6 x 50,5 cm
Achat 1984, AM 1984-356 / **ill. p. 57**

Yves Klein
Anthropométrie de l'époque bleue
(ANT 82),
Pigment pur et résine synthétique
sur papier marouflé sur toile
156,5 x 282,5 x 407 cm
Achat 1984, AM 1984-279 / **ill. p. 46**

Ci-gît l'espace (Monogold RP 3), 1960
Panneau recouvert d'or en feuilles,
éponge peinte et fleurs artificielles
10 x 100 x 125 cm
Don de Mme Rotraut Klein-Moquay à l'État
1974, attribution 1975, AM 1975-5 / **ill. p. 123**

Pierre Klossowski
Descente au sous-sol, 1978
Crayon et pastel sur toile
208 x 125 cm
Achat 1979, AM 1979-98 / **ill. p. 106**

Katarzyna Kobro
Sculpture spatiale, 1928
Tôle d'acier peint
44,8 x 44,8 x 46,7 cm
Achat 1985, AM 1985-18 / **ill. p. 54**

**Kol/Mac Studio [Sulan Kolatan
et William Mac Donald]**
Resi/Rise Skyscraper
[Gratte-ciel Resi/Rise], 1999
Projet non réalisé, maquette
Stéréo-lithographie et poudre plastique
50 x 25 x 20 cm
Don des architectes 2004, AM 2004-2-235
ill. p. 73

Gyulia Kosice
Première Sculpture hydraulique,
1958-1960
Plexiglas, eau
71 x 31,5 x 21,5 cm
Achat de l'État 1960, attribution 1961,
AM 1108 S / **ill. p. 69**

Joseph Kosuth
One Colour, Five Adjectives
[Une couleur, 5 adjectifs], 1966
Néon
9 x 265 cm
Achat 1991, AM 1991-38 / **ill. p. 67**

Germaine Krull
La Môme bijou, vers 1932
Épreuve gélatino-argentique
18,1 x 16,1 cm
Achat 1987, AM 1988-107 / **ill. p. 105**

Tetsumi Kudo
Pollution, cultivation, nouvelle écologie,
1970-1971
Métal, contreplaqué, Isorel, fleurs
plastiques, lumière noire électronique,
cheveux artificiels, grillage, ampoules,
ficelles, écriteau avec texte
270 x 430 x 527 cm
Achat 1992, AM 1992-22 / **ill. p. 109**

Henri Laurens
Bouteille et verre, 1918
Bois et tôle de fer polychromes
62 x 34 x 21 cm
Donation Louise et Michel Leiris 1984,
AM 1984-569 / **ill. p. 76**

Bertrand Lavier
Brandt/Haffner, 1984
Réfrigérateur, coffre-fort
251 x 70 x 65 cm
Achat 1988, AM 1988-5 / **ill. p. 142**

Louise Lawler
Carpeaux, 1988
Cibachrome
68,6 x 100,3 cm
Achat 1990, AM 1990-79 / **ill. p. 142**

Le Corbusier
Chapelle Notre-Dame-du-Haut,
Ronchamp, 1950-1955
Projet réalisé, maquette en plâtre
36 x 61 x 56 cm
Don de l'architecte et du syndicat d'initiative
de Lyon 1956, AM 1110 OA / **ill. p. 68**

Fernand Léger
Quartier de mouton, 1933
Encre de Chine sur papier
40 x 30,5 cm
Achat 1981, AM 1981-6 / **ill. p. 153**

Nathan Lerner
Brown's Face, Focused View for Camera
[Le Visage de Brown, gros plan], 1939
Épreuve gélatino-argentique
47,9 x 38 cm
Don de l'artiste 1978, AM 1978-375 / **ill. p. 152**

Daniel Libeskind
*Extension du Musée historique de Berlin,
département du Musée juif*, 1989-1998
Projet réalisé, maquette de rendu
Bois, carton, métal et papier abrasif
30 x 216 x 205 cm
Achat 1998, AM 1998-2-76 / **ill. p. 124**

Markus Lüpertz
Exekution [Exécution], 1992
Huile sur toile
300 x 425 cm
Dom de Mme Jeanne-Marie de Broglie
et du Dr Helmut Röschinger 2000,
AM 2000-58 / **ill. p. 125**

Dora Maar
Portrait d'Ubu, 1936
Épreuve gélatino-argentique
24 x 18 cm
Achat 1998, AM 1998-246 / **ill. p. 138**

René Magritte
Le Double Secret, 1927
Huile sur toile
114 x 162 cm
Achat 1980, AM 1980-2 / **ill. p. 148**

Le Stropiat, 1948
Huile sur toile marouflée sur
contreplaqué
59,5 x 49,5 cm
Achat 1999, AM 1999-6 / **ill. p. 136**

Kasimir Malevitch
Gota, vers 1923
Architectone reconstitué
par Poul Pedersen en 1978
Plâtre
85,2 x 48 x 58 cm
Don anonyme 1978, AM 1978-878 / **ill. p. 68**

Carré noir, vers 1923-1930
Huile sur plâtre
36,7 x 36,7 x 9,2 cm
Don anonyme 1978, AM 1978-631 / **ill. p. 56**

Henri Matisse
Nu de dos, premier état, 1909-1950
Bronze à la cire perdue
190 x 116 x 17 cm
Achat de l'État 1964, attribution 1970,
AM 1710 S / **ill. p. 47**

Nu de dos, deuxième état, 1913
Bronze, patine brun-doré
188 x 116 x 14 cm
Achat de l'État 1964, attribution 1970,
AM 1712 S / **ill. p. 47**

Nu de dos, troisième état, 1916-1917
Bronze, patine sombre
190 x 114 x 16 cm
Achat de l'État 1964, attribution 1970,
AM 1709 S / **ill. p. 47**

Nu de dos, quatrième état, 1930
Bronze, patine sombre
190 x 114 x 16 cm
Achat de l'État 1964, attribution 1970,
AM 1711 S / **ill. p. 47**

La Tristesse du roi, 1952
Papiers gouachés, découpés,
marouflés sur toile
292 x 386 cm
Achat de l'État, attribution 1954, AM 3279 P
ill. p. 156

Gordon Matta-Clark
Conical Intersect [Intersection conique],
1975
1 Photographie d'une série de 5
Épreuve couleur
101,6 x 106,7 cm
Achat 1990, AM 1991-48 (4) / **ill. p. 77**

Ingo Maurer
Wo-Tum-Bu 1, 1998
Lampadaire
Papier, silicone, pierre et verre
H. 190 cm
Éditeur Ingo Maurer GmbH, Allemagne
Don de la Société des Amis du Musée
national d'art moderne 1999,
AM 1999-1-163 / **ill. p. 72**

Allan Mc Collum
Plaster Surrogates, 1985
20 Éléments en céramique à froid
sur plâtre
128,5 x 203 cm
Achat 1987, AM 1987-1150 / **ill. p. 56**

Alessandro Mendini
Kandissi, 1979
Canapé
Structure en bois ; dessus des
accoudoirs en cuir ; dossier et assise
recouverts en tapisserie
99 x 205 x 87 cm
Socle : 25 x 158 x 77 cm
Édition Alchimia, Italie
Don de Strafor 1997, AM 1997-1-94 / **ill. p. 76**

Mario Merz
Girasole [Tournesol], 1960
Tempera sur toile
85 x 120 cm
Don de Liliane et Michel Durand-Dessert
1991, AM 1991-90 / **ill. p. 86**

Annette Messager
Les Piques, 1992-1993
Piques, crayons, pastels sous verre,
objets, tissu, bas nylon
250 x 800 x 425 cm
Achat 1994, AM 1994-85 / **ill. p. 116**

Joan Miró
Personnage, 1934
Pastel sur papier velours
106,3 x 70,5 cm
Achat 1984, AM 1984-260 / **ill. p. 95**

Issey Miyake
Rhythm Pleats
Polyester et papier de riz
Collection printemps-été de la ligne
"Pleats Please", 1990 / **ill. p. 72**

László Moholy-Nagy
Composition A.XX, 1924
Huile sur toile
135,5 x 115 cm
Don de la Société des Amis du Musée
national d'art moderne 1962, AM 4025 P
ill. p. 69

Piet Mondrian
Composition en rouge, bleu et blanc II,
1937
Huile sur toile
75 x 60,5 cm
Achat 1975, AM 1975-53 / **ill. p. 54**

Robert Morris
Card File [Fichier], 1962
Métal, bois, papier
68,5 x 27 x 4 cm
Achat 1992, AM 1992-39 / **ill. p. 66**

Mirror [Miroir], 1969
Film cinématographique 16 mm,
noir et blanc, silencieux
Durée : 8'
Achat 1974, AM 1974-F0233 / **ill. p. 74**

Bruce Nauman
Pulling Mouth [En étirant la bouche],
1969
Film cinématographique 16 mm,
noir et blanc, silencieux
Durée : 9'
Achat 1974, AM 1974-F0241 / **ill. p. 49**

Barnett Newman
Untitled (The Break)
[Sans titre (La Brèche)], 1946
Encre de Chine sur papier chiffon
91,5 x 61 cm
Don de Mme Annalee Newman par
l'intermédiaire de la Georges Pompidou Art
and Culture Foundation 1986, AM 1986-173
ill. p. 158

Marc Newson
Alufelt Chair, 1993
Chaise
Aluminium poli et dos laqué
Fabricant Aston Martin et Ferrari,
Grande-Bretagne
85 x 67 x 100 cm
Achat 2001, AM 2001-1-153 / **ill. p. 74**

Hermann Nitsch
*Das Orgien Mysterien Theater :
12. Aktion*, 1965/1988
U-matic
Durée : 60'
Dépôt Herman Nitsch / **ill. p. 111**

Claes Oldenburg
Ghost Drum Set [Batterie fantôme],
1972
Toile peinte, polystyrène
80 x 183 x 183 cm
Don de la Menil Foundation en mémoire
de Jean de Menil 1975, AM 1975-64 / **ill. p. 73**

Gina Pane
*François d'Assise trois fois aux blessures
stigmatisées*, 1985-1987
Fer rouillé, verre dépoli
168,6 x 198 x 2,2 cm
Achat 1989, AM 1989-3 / **ill. p. 123**

Michel Parmentier
1968 [Rouge], 1968
Huile sur toile cirée
233,5 x 240 cm
Achat 1986, AM 1986-158 / **ill. p. 121**

Ed Paschke
Joella, 1973
Huile sur toile
152,5 x 127 cm
Donation Achim d'Avis 1991, AM 1992-7
ill. p. 108

Gaetano Pesce
Sansone, 1980
Table
Résine de polyester polychrome moulée
par coulée
Éditeur Cassina, Italie
74 x 160 x 110 cm
Achat 1996, AM 1996-1-5 / **ill. p. 92**

Francis Picabia
Le Rechiré, 1924/1926
Gouache et encre de Chine sur carton
103,3 x 74,1 cm
Achat 1951, AM 3059 P / **ill. p. 48**

Femmes au bull-dog, 1941-1942
Huile sur carton
106 x 76 cm
Achat 2003, AM 2003-207 / **ill. p. 141**

Pablo Picasso
L'Acrobate bleu, 1929
Fusain et huile sur toile
162 x 130 cm
Dépôt du Musée Picasso 1991, M.P. 1990-15
ill. p. 95

Le Chapeau à fleurs, 1940
Huile sur toile
72 x 60 cm
Donation Louise et Michel Leiris 1984,
AM 1984-634 / **ill. p. 137**

Petite Fille sautant à la corde, 1950
Bronze d'après assemblage
153 x 62 x 65 cm
Donation Louise et Michel Leiris 1984,
AM 1984-642 / **ill. p. 87**

Femmes devant la mer, 1956
Huile sur toile
195 x 260 cm
Donation Marie Cuttoli 1963, AM 4211 P
ill. p. 40

La Pisseuse, 1965
Huile sur toile
194,8 x 96,5 cm
Donation Louise et Michel Leiris 1984,
AM 1984-641 / **ill. p. 108**

Klaus Pinter
The Cocoon, 1971
Collage, photomontage rehaussé
de couleurs sur papier
51,5 x 63,5 cm
Achat 2000, AM 2000-2-59 / **ill. p. 143**

Jackson Pollock
The Moon-Woman Cuts the Circle,
1943
Huile sur toile
109,5 x 104 cm
Don de Frank K. Lloyd 1980, AM 1980-66
ill. p. 86

Number 26 A, Black and White, 1948
Peinture glycérophtalique sur toile
205 x 121,7 cm
Dation 1984, AM 1984-312 / **ill. p. 50**

Radi Designers
Whippet Bench, 1998
Banquette, prototype
Garniture mousse polyéthylène, structure
en bois, housse en Trevira
60 x 140 x 74 cm
Dépôt du Fonds national d'art contemporain
2005, inv. 980751 / **ill. p. 140**

Martial Raysse
Ceux du maquis, 1992
Détrempe sur toile
205 x 319,5 cm
Dépôt du Fonds national d'art contemporain
1994, AM 1994-DEP 152 / **ill. p. 157**

Germaine Richier
L'Orage, 1947-1948
Bronze
200 x 80 x 52 cm
Achat de l'État et attribution 1949, AM 887 S
ill. p. 44

Gerhard Richter
Grau n° 349 [Gris n° 349], 1973
Huile sur toile
300,5 x 251 cm
Achat 1984, AM 1984-277 / **ill. p. 159**

Sophie Ristelhueber
Fait, 1992
Cibachrome contrecollé sur aluminium
100 x 130 cm
Don de la Caisse des dépôts et consignations,
EC 2004-3 Ph / **ill. p. 125**

Diego Rivera
Les Vases communicants, 1938
Gouache sur papier marouflé sur toile
93 x 121 cm
Achat 2003, AM 2003-267 / **ill. p. 92**

Larry Rivers
I Like Olympia in Blackface
[J'aime l'Olympia en Noire), 1970
Huile sur bois, toile plastifiée,
plastique et plexiglas
182 x 194 x 100 cm
Don de la Menil Foundation en mémoire
de Jean de Menil 1976, AM 1976-1231
ill. p. 105

Aldo Rossi
*Composition avec le Théâtre
du monde*, Venise, 1982
Perspective
Mine de plomb, crayons de couleur et
pastels sur panneau de bois
60,5 x 33 cm cm
Don de l'architecte 1991, AM 1992-1-13
ill. p. 155

Mark Rothko
N° 14 (Browns over Dark), 1963
Huile et acrylique sur toile
228,5 x 176 cm
Achat de l'État 1968, attribution 1976,
AM 1976-1015 / **ill. p. 159**

Niki de Saint Phalle
La Mariée, 1963
Grillage, plâtre, dentelle encollée,
jouets divers peints
222 x 200 x 100 cm
Achat de l'État 1967, attribution 1976,
AM 1976-1016 / **ill. p. 104**

Peter Saul
Bewtiful & Stwong, 1971
Huile sur toile
213 x 183 cm
Donation Achim d'Avis 1991, AM 1992-11
ill. p. 110

Christian Schad
*Portrait du comte St-Genois
d'Anneaucourt*, 1927
Huile sur bois
103 x 80,5 cm
Achat en souvenir de Siegfried Poppe 2000,
AM 2000-4 / **ill. p. 154**

Thomas Schütte
Sans titre, 1996
Fonte d'aluminium
250 x 100 x 150 cm
Achat 1997, AM 1997-51 / **ill. p. 45**

Kurt Schwitters
Prikken paa I en, 1939
Papiers divers sur contrecollé peint et
collé sur aggloméré
75,5 x 91,8 cm
Dation 1988, AM 1988-653 / **ill. p. 76**

Gino Severini
Autoportrait, 1912/1960
Huile sur toile
55 x 46,3 cm
Don de Mme Severini et ses filles 1967,
AM 4413 P / **ill. p. 137**

Cindy Sherman
Untitled, # 141, 1945
Cibachrome
184,2 x 122,8 cm
Achat 1986, AM 1986-264 / **ill. p. 154**

Kazuo Shiraga
Chizensei-Kouseimao, 1960
Huile sur toile
161,5 x 130 cm
Achat 1990, AM 1990-325 / **ill. p. 89**

Jack Smith
Flaming Creatures, 1963
Film cinématographique 16 mm,
noir et blanc, sonore
Durée : 42'
Achat 1992, AM 1992-F1222 / **ill. p. 108**

Kiki Smith
Lying with the Wolf, 2001
Encre et crayon sur papiers découpés
et collés
183,5 x 223,5 cm
Achat 2003, AM 2003-364 / **ill. p. 164**

Robert Smithson
Mirror Vortex, 1964
Acier peint, miroirs
144,8 x 63,5 x 87 cm
Achat 2005, AM 2005-71 / **ill. p. 75**

Spiral Jetty [Jetée en spirale], 1970
Film cinématographique 16 mm,
couleur, sonore
Durée : 35'
Achat 1975, AM 1975-F0290 / **ill. p. 82**

Chaïm Soutine
Le Sculpteur Miestchaninoff, 1923
Huile sur toile
83 x 65 cm
Legs de Mme Miestchaninoff 1972,
AM 1972-30 / **ill. p. 48**

Philippe Starck
Gnomes, 2000
Tabourets-table : Attila, Napoléon
et Saint-Esprit
Technopolymère thermoplastique teinté
Éditeur Kartell, Italie
H. 44 cm ; diam. 40 cm
Don de Kartell 2003, AM 2003-1-101
ill. p. 140

Jana Sterbak
*Vanitas : robe de chair pour albinos
anorexique*, 1987
Viande de bœuf crue cousue sur
mannequin de couturière, photographie
couleur
H. du mannequin : 113 cm
Achat 1996, AM 1996-524 / **ill. p. 153**

Georges Tony Stoll
Ma main, ta main, 1997
De la série "Moby Dick"
Épreuve couleur type C
contrecollée sur aluminium
120 x 80 cm
Achat 2003, AM 2003-245 (7) / **ill. p. 152**

Dorothea Tanning
De quel amour, 1970
Tissu, métal et fourrure
174 x 44,5 x 59 cm
Don de Mme Gruner-Schlumberger 1978,
AM 1977-574 / **ill. p. 94**

Antoni Tàpies
Grand Triangle marron, 1963
Huile et sable sur toile maroufflée sur
contreplaqué parqueté
195 x 170 cm
Achat de l'État 1968, attribution 1980,
AM 1980-425 / **ill. p. 159**

Rosemarie Trockel
Sans titre, 1987
Peinture acrylique sur papier
38 x 28 cm
Achat avec la participation de la Société des
Amis du Musée national d'art moderne 1997,
AM 1997-242 / **ill. p. 138**

Cy Twombly
Achilles Mourning the Death of Patroclus
[Achilles pleurant la mort de Patrocle],
1962
Huile, mine de plomb sur toile
259 x 302 cm
Achat 2005, AM 2005-24 / **ill. p. 122**

UFO
Paramount, 1970-1975
Lampe
Parapluie abat-jour en nylon, support
en céramique polychrome
Éditeur Alchimia, Italie (1979)
H. 80 cm, diam. 56 cm
Don de Strafor 1997, AM 1997-1-93
ill. p. 140

Theo Van Doesburg
*L'Aubette : projet de composition pour
la grande salle des fêtes*, 1926
Gouache, crayon et collage de papiers
et de calque sur carton
52,6 x 31 cm
Donation de l'État néerlandais 1986,
AM 1987-1083 / **ill. p. 53**

*L'Aubette : projet de composition pour
un plafond*, 1926-1927
Gouache et crayon sur carton
59,5 x 36,7 cm
Donation de l'État néerlandais 1986,
AM 1987-1090 / **ill. p. 53**

Claude Viallat
Filet, 1970
Corde de coco goudronnée
342 x 417 cm
Achat de l'État 1971, attribution 1976,
AM 1976-1032 / **ill. p. 57**

Bill Viola
Five Angels for the Millennium :
1. Departing Angel ; 2. Angel of Birth ;
3. Angel of Fire ; 4. Ascending Angel ;
5. Angel of Creation, 2001
5 béta numériques (9'40, 7'45, 13'10,
9'20, 9'43), couleur, son,
5 vidéoprojecteurs, 2500 lumens,
5 lecteurs DVD, 5 amplificateurs,
5 compensateurs, 10 haut-parleurs
Images projetées : 240 x 320 cm
Achat conjoint du Centre Pompidou-
Musée national d'art moderne avec le soutien
de Mme Lily Safra, de la Tate, Londres
avec le soutien de Mme Lynn Forester
de Rothschild et du Whitney Museum of
American Art, New York, avec le soutien
de M. Leonard A. Lauder 2004, AM 2004-424
ill. p. 168-169

Andy Warhol
Ten Lizes [Dix Liz Taylor], 1963
Huile et laque appliquées
en sérigraphie sur toile
201 x 564,5 cm
Achat 1986 , AM 1986-82 / **ill. p. 47**

Electric Chair [Chaise électrique], 1967
Acrylique et laque appliquées
en sérigraphie sur toile
137,2 x 185,3 cm
Don de la Menil Foundation en mémoire
de Jean de Menil 1976, AM 1976-1232
ill. p. 123

Joël-Peter Witkin
Christ in Glory, 1982
Épreuve gélatino-argentique
38 x 37,5 cm
Don de l'artiste 1985, AM 1985-5 / **ill. p. 110**

Christopher Wool
Untitled [Sans titre], 2002
Sérigraphie, peinture au pistolet
sur toile
274 x 182,8 cm
Achat 2005, AM 2005-28 / **ill. p. 50**

Photogravure : Bussière, Paris
Achevé d'imprimer sur les presses de la STIPA, Montreuil (93), le 3 juin 2005
Imprimé en France